CLASSIQU

Collection fondée en

continuée par
LÉON LEJEALLE (1949 à 1968) et JEAN-POL CAPUT (1969 à 1972)
Agrégés des Lettres

A. DE MUSSET

LORENZACCIO

drame

avec une Notice biographique, une Notice historique et littéraire,
des Notes explicatives, une Documentation thématique,
des Jugements, un Questionnaire et des Sujets de devoirs,

par
JACQUES NATHAN
Agrégé des Lettres
Maître assistant à la Sorbonne

texte intégral

LIBRAIRIE LAROUSSE
17, rue du Montparnasse, 75298 PARIS

RÉSUMÉ CHRONOLOGIQUE DE LA VIE D'A. DE MUSSET (1810-1857)

1810 (11 décembre) — Naissance d'Alfred de Musset, à Paris.

1819 — Musset entre au collège Henri-IV et y fait de brillantes études.

1824 — Il écrit ses premiers vers, une chanson pour la fête de sa mère.

1828 — Paul Foucher le présente à Victor Hugo, son beau-frère, puis l'introduit chez Nodier, à l'Arsenal, mais Musset, alors mondain, préfère la fréquentation de jeunes dandys riches : Alfred Tattet, Ulrich Guttinger, le comte Belgiojoso, le comte Alton-Shée. Sa famille le pressant de choisir une situation, il assiste pendant quelque temps aux cours de la faculté de droit, puis à ceux de la faculté de médecine, mais finit par faire admettre aux siens son ambition exclusive d'être poète. Il inaugure une période de dix ans de création intense. Il publie dans un journal de Dijon, *le Provincial*, une ballade intitulée *Un rêve*, puis, à Paris, sa traduction de *l'Anglais mangeur d'opium*, de Quincey.

1830 — En janvier, il fait paraître les *Contes d'Espagne et d'Italie*. On y trouve trois contes en vers : « Don Paez », « Portia », « Mardoche », un drame : « les Marrons du feu » et de petites pièces fantaisistes dont la plus célèbre est « la Ballade à la lune ». En juillet, *les Secrètes Pensées de Raphaël* (poème); en octobre, *les Vœux stériles* (poème). Le 1er décembre, il fait représenter *la Nuit vénitienne* (pièce en un acte) à l'Odéon. Elle est sifflée. Musset se promet de ne plus jamais affronter le public des théâtres.

1831 — Il publie dans *le Temps*, de janvier à la fin mai, des articles intermittents intitulés la *Revue fantastique*.

1832 — Mort de Victor de Musset, père du poète (8 avril). Publication en décembre d'*Un spectacle dans un fauteuil* (recueil). On y trouve deux pièces de théâtre en vers, délibérément injouables : *la Coupe et les lèvres*, *A quoi rêvent les jeunes filles*, et un poème, *Namouna*.

***

1833 — Dans la *Revue des Deux Mondes* paraissent, le 1er avril, *André del Sarto* (drame), le 15 mai, ***les Caprices de Marianne*** (comédie), le 15 août, *Rolla*, le dernier poème avant sa liaison avec George Sand. Vers la fin de l'été commence la liaison de Musset avec George Sand. Ils partent pour l'Italie en décembre.

1834 — ***Fantasio*** (comédie) dans la *Revue des Deux Mondes* du 1er janvier. Musset gravement malade à Venise, sans doute de la fièvre typhoïde. Liaison de George Sand avec le docteur Pagello, qui soigne le poète. Bafoué, Musset quitte Venise le 29 mars et rentre à Paris. Il publie ***On ne badine pas avec l'amour*** (comédie) dans la *Revue des Deux Mondes* du 1er juillet, ***Lorenzaccio*** (drame), dans celle d'août. Réconciliation passagère avec George Sand. Voyage à Bade en septembre.

1835 — *Une bonne fortune* (poème), *Lucie* (poème), ***la Nuit de mai*** (poème), *la Quenouille de Barberine* (comédie), *le Chandelier* (comédie), ***la Nuit de décembre*** (poème).

1836 — ***La Confession d'un enfant du siècle*** (roman en partie autobiographique), *Lettre à Lamartine* (poème), *Salon de 1836* (critique), dans la *Revue des Deux Mondes*. ***Il ne faut jurer de rien*** (comédie), ***la Nuit d'août*** (poème), première *Lettre de Dupuis et Cotonet*, lettre fictive adressée au directeur de la *Revue des Deux Mondes* par deux provinciaux désireux de mieux connaître le romantisme. *Stances à la Malibran*. Seconde *Lettre de Dupuis et Cotonet*.

ISBN 2-03-870122-9

1837 — Troisième et quatrième *Lettres de Dupuis et Cotonet*, *Un caprice*, (comédie), *Emmeline* (nouvelle), ***la Nuit d'octobre*** (poème), les *Deux Maîtresses* (nouvelle). Liaison avec Aimée d'Alton.

1838 — *Frédéric et Bernerette* (nouvelle), *l'Espoir en Dieu* (poème), *le Fils du Titien* (roman), *Dupont et Durand* (poème), *Sur la naissance du comte de Paris* (stances), *Margot* (nouvelle), *De la tragédie, à propos des débuts de Mlle Rachel* (critique). Musset est nommé bibliothécaire du ministère de l'Intérieur.

***

1839 — Fin de la période de production intense. A vingt-huit ans, le poète inaugure une période où il sacrifie l'art à la vie et où sa production diminue. *Croisilles* (nouvelle), *le Poète déchu* (sorte de confession en prose que l'auteur n'acheva pas).

1840 — *Silvia* (poème). Maladie de Musset. *Une soirée perdue* (poème). L'éditeur Charpentier publie les *Œuvres complètes d'Alfred de Musset.*

1841 — *Souvenir* (poème). *Le Rhin allemand*, poème écrit en réponse à *l'Hymne du Rhin*, du poète allemand Becker. Passion malheureuse pour la princesse Belgiojoso.

1842 — *Sur la paresse* (poème), *Sur une morte* (poème), *Histoire d'un merle blanc* (nouvelle), *Après une lecture* (poème).

1843 — *Treize-Juillet* (poème), *Réponse à Charles Nodier* (poème), *le Mie Prigioni* (poème).

1844 — *A mon frère revenant d'Italie* (poème), *Pierre et Camille* (conte), *le Secret de Javotte* (conte), *les Frères Van Buck* (conte).

1845 — *Mimi Pinson* (conte), *Il faut qu'une porte soit ouverte ou fermée* (comédie).

1847 — *Un caprice* est joué à Saint-Pétersbourg, puis à la Comédie-Française (27 novembre). C'est le début d'une gloire théâtrale qui ne cessera de croître et dont Musset va pouvoir jouir un peu durant les dix dernières années de sa vie.

1848 — Première représentation d'*Il faut qu'une porte soit ouverte ou fermée* (7 avril), et d'*Il ne faut jurer de rien* (22 juin). Musset perd son poste de bibliothécaire.

1849 — Représentation de *Louison*, *Sur trois marches de marbre rose* (poème).

1850 — *Carmosine* (comédie).

1851 — Représentation de *Bettine* (comédie).

1852 — Le 12 février, Musset est élu membre de l'Académie française. Il prononce son discours de réception le 27 mai.

1853 — Musset compose le *Songe d'Auguste* (poème dramatique), *la Mouche* (conte).

1854 — Musset est nommé bibliothécaire du ministère de l'Instruction publique.

1855 — *L'Ane et le ruisseau* (comédie).

1857 (2 mai) — Mort d'Alfred de Musset, à Paris.

Alfred de Musset avait vingt ans de moins que Lamartine, treize ans de moins que Vigny, douze ans de moins que Michelet, onze ans de moins que Balzac, huit ans de moins que Victor Hugo, sept ans de moins que Mérimée, six ans de moins que George Sand et que Sainte-Beuve. Il avait un an de plus que Théophile Gautier.

ALFRED DE MUSSET ET SON TEMPS

	vie et œuvre de Musset	le mouvement intellectuel et artistique	les événements politiques
1810	Naissance d'Alfred de Musset à Paris (11 décembre).	Mme de Staël : *De l'Allemagne*. Traduction complète d'Ossian (recueil de Macpherson et recueil de Smith).	Apogée de la puissance napoléonienne. Mariage de l'Empereur et de Marie-Louise.
1828	Rencontre de Hugo et de Nodier. Publication de sa traduction de *l'Anglais mangeur d'opium*, de Quincey.	Sainte-Beuve : *Tableau de la poésie française au XVIe siècle*. Mort de Goya. Mort de Schubert.	Indépendance de la Grèce.
1830	*Contes d'Espagne et d'Italie*. Représentation et échec de *la Nuit vénitienne* à l'Odéon.	Bataille d'*Hernani*. A. Comte : *Cours de philosophie positive*. Lamartine : *Harmonies poétiques et religieuses*.	Prise d'Alger. Révolution de Juillet. Révolution en Belgique (août) et en Pologne (novembre).
1832	Mort de son père. *Un spectacle dans un fauteuil*.	G. Sand : *Indiana*. Mort de Goethe et de Cuvier. Mickiewicz à Paris. Corot : *le Bain de Diane*.	Manifestation aux funérailles du général Lamarque. L'armée de Méhémet-Ali victorieuse des Turcs à Konieh.
1833	*André del Sarto*. *Les Caprices de Marianne*. *Rolla*. Liaison avec G. Sand, départ pour l'Italie en décembre.	H. de Balzac : *Eugénie Grandet*. V. Hugo : *Lucrèce Borgia*. *Marie Tudor*. G. Sand : *Lélia*. Goethe : *Second Faust*. Barye : *le Lion au serpent*.	Organisation de l'enseignement primaire par la loi Guizot. Création de la Société des droits de l'homme.
1834	*Fantasio*. *On ne badine pas avec l'amour*. *Lorenzaccio*. Voyage à Bade.	Sainte-Beuve : *Volupté*. H. de Balzac : *le Père Goriot*. Mort de Coleridge.	Insurrection d'avril (Lyon et Paris). Quadruple-Alliance (Espagne-Portugal-Grande-Bretagne-France).
1835	*La Nuit de mai*. *Le Chandelier*. *La Nuit de décembre*.	V. Hugo : *Chants du crépuscule*. A. de Vigny : *Chatterton*.	Attentat de Fieschi. Loi de septembre sur la presse.
1836	*La Confession d'un enfant du siècle*. *Il ne faut jurer de rien*. *La Nuit d'août*. *Stances à la Malibran*. Première et deuxième *Lettres de Dupuis et Cotonet*.	A. Dumas : *Kean*. Lamartine : *Jocelyn*. Leopardi : *la Ginesta* (son dernier poème). Meyerbeer : *les Huguenots*.	Ministère Thiers.
1837	Troisième et quatrième *Lettres de Dupuis et Cotonet*. *Un caprice*. *La Nuit d'octobre*. Liaison avec Aimée d'Alton.	Dickens : *Oliver Twist*. Thackeray : *Yellowplush Papers*. Rude : groupe du *Départ des volontaires* à l'Arc de Triomphe. David d'Angers : *Fronton du Panthéon*.	Traité de la Tafna : cession à Abd el-Kader des provinces d'Oran et d'Alger. Conquête de Constantine par Lamoricière.

1838	Nommé bibliothécaire du ministère de l'Intérieur. *L'Espoir en Dieu.*	V. Hugo : *Ruy Blas.* Liaison de Chopin et de G. Sand. E. A. Poe : *Arthur Gordon Pym.*	Formation de la coalition contre Molé.
1840	*Une soirée perdue.* L'éditeur Charpentier publie les *Œuvres complètes* d'Alfred de Musset.	Sainte-Beuve : *Port-Royal.* V. Hugo : *les Rayons et les Ombres.* P. Mérimée : *Colomba.* P.-J. Proudhon : *Qu'est-ce que la propriété?*	Retour des cendres de Napoléon Ier. Louis-Napoléon détenu au fort de Ham. Démission de Thiers. Ministère Guizot.
1841	*Souvenir. Le Rhin allemand.* Passion malheureuse pour la princesse Belgiojoso.	A. de Lamartine : *la Marseillaise de la paix.* H. de Balzac : *le Curé de village.* E. Delacroix : *Prise de Constantinople par les croisés.*	Convention des Détroits.
1842	*Histoire d'un merle blanc.*	E. Sue : *les Mystères de Paris.* Aloysius Bertrand : *Gaspard de la nuit.*	Protectorat français à Tahiti. Affaire Pritchard.
1844	*Pierre et Camille. Les Frères Van Buck.*	A. Dumas : *les Trois Mousquetaires.* V. Hugo : *A Villequier.* Petöfi : *Poèmes.* Théodore Rousseau : *Marais dans les Landes.*	Les réfugiés politiques fondent à Paris le parti de la « Jeune Europe », organisé par l'Italien Mazzini.
1845	*Il faut qu'une porte soit ouverte ou fermée.*	P. Mérimée : *Carmen.* Th. Gautier : *Espagne.* Kierkegaard : *Étapes sur le chemin de la vie.* Wagner : *Tannhäuser.*	Hostilité de la Chambre à l'égard des congrégations. Guizot négocie avec le Vatican la fermeture des collèges des jésuites.
1847	Première représentation d'*Un caprice* à la Comédie-Française.	J. Michelet : *Histoire de la Révolution.* E. Brontë : *Wuthering Heights.*	Reddition d'Abd el-Kader. Campagne des banquets.
1848	Premières représentations d'*Il faut qu'une porte soit ouverte ou fermée* et d'*Il ne faut jurer de rien.* Musset perd son poste de bibliothécaire.	A. Dumas fils : *la Dame aux camélias* (roman). Mort de Chateaubriand. Publication des *Mémoires d'outre-tombe.*	Révolution de Février. Révolution en Italie, dans l'empire autrichien et en Allemagne.
1849	*Sur trois marches de marbre rose.* Représentations d'*On ne saurait penser à tout.*	Voyage de Flaubert et de Maxime Du Camp en Grèce, Syrie, Egypte. Charlotte Brontë : *Shirley.* Mort de Chopin.	Ecrasement de tous les mouvements libéraux en Italie, en Hongrie, en Allemagne.
1852	Election à l'Académie française. Edition définitive des *Premières Poésies. Poésies nouvelles.*	Th. Gautier : *Emaux et Camées.* Leconte de Lisle : *Poèmes antiques.* A. Dumas fils : *la Dame aux camélias* (drame).	Napoléon III, empereur héréditaire. En Italie, Cavour est appelé au gouvernement.
1857	Mort d'Alfed de Musset à Paris (2 mai).	Ch. Baudelaire : *les Fleurs du. mal.* Th. Gautier : *l'Art.*	Expédition française en Chine.

BIBLIOGRAPHIE SOMMAIRE

SUR LA VIE ET L'ŒUVRE DE MUSSET

Philippe Van Tieghem	*Alfred de Musset* (Paris, Boivin-Hatier, 1944 ; nouv. éd., 1964).
Henri Lefebvre	*Alfred de Musset* (coll. « Les grands dramaturges », Paris, l'Arche, 1955).
Revue « Europe »	*Alfred de Musset* (N° spécial, E. F. R., 1977).

SUR SON ŒUVRE

Pierre Gastinel	*le Romantisme d'Alfred de Musset* (Paris, Hachette, 1933).

SUR SON THÉÂTRE

Léon Lafoscade	*le Théâtre d'Alfred de Musset* (Paris, Hachette, 1901 ; rééd. Nizet, 1966).
Jean Pommier	*Variétés sur Musset et son théâtre* (Paris, Nizet, 1947).
Bernard Masson	*Musset et le théâtre intérieur* (Paris, A. Colin, 1974).
Éric L. Gans	*Musset et le drame tragique*, essai d'analyse paradoxale (Paris, Corti, 1974).

SUR « LORENZACCIO »

Paul Dimoff	*la Genèse de « Lorenzaccio »* (Genève, Droz, 1936).
Joachim Claude Merlant	*le Moment de « Lorenzaccio » dans le destin de Musset* (Inst. fr. d'Athènes, 1957).
Bernard Masson	*Lorenzaccio ou la Difficulté de vivre* (Paris, Lettres modernes, 1963).
Joyce-G. Bromfield	*De Lorenzo de Médicis à Lorenzaccio* (Paris, M. Didier, 1972).
Anne Ubersfeld	*Révolution et topique de la cité* (Paris, Larousse, Revue « Littérature » n° 24, 1976).

SUR LES REPRÉSENTATIONS

Henri Lyonnet	*les Premières de Musset* (Paris, Delagrave, 1927).
Musset	*Lorenzaccio* (coll. « T. N. P. », Paris, l'Arche, 1952).

LORENZACCIO
1834

NOTICE

CE QUI SE PASSAIT EN 1834

■ ***EN POLITIQUE.*** En France : *Consolidation lente et difficile de la monarchie de Juillet. Gouvernement du* Parti de la résistance. *Loi contre les associations (mars). Insurrections républicaines à Lyon et à Paris; massacre de la rue Transnonain (14 avril). Mort de La Fayette (20 mai).*

A l'étranger : Espagne, *Continuation de l'insurrection carliste. Les Cortès déclarent exclus du trône don Carlos et ses descendants. Abolition de l'Inquisition.* — Portugal, *Bannissement à perpétuité de dom Miguel.* — Grèce, *Soulèvement sur divers points du pays.* — Russie, *Insurrection du Caucase.*

■ ***EN LITTÉRATURE.*** En France : *Balzac fait paraître* la Recherche de l'absolu et le Père Goriot; *Victor Hugo*, Claude Gueux; *G. Sand*, Jacques; *Lamennais*, les Paroles d'un croyant; *Sainte-Beuve*, Volupté; *Edgar Quinet*, Ahasvérus; *Augustin Thierry*, Dix Ans d'études historiques. *Naissance de Ludovic Halévy, de Pailleron.*

A l'étranger : Angleterre, *Mort de Coleridge, de Charles Lamb. Carlyle publie* Sartor Résartus. — Pologne, *Mickiewicz publie* Maître Thadée *(poème).* — Russie, *Gogol publie* Tarass Boulba.

■ ***DANS LES SCIENCES ET DANS LES ARTS.*** En France : *Paul Delaroche expose* la Mort de Jane Grey. *Mort du compositeur Boieldieu. Naissance du peintre Degas. Ampère commence l'*Essai sur la philosophie des sciences.

A l'étranger : Allemagne, *Naissance du biologiste Hœckel.* — Etats-Unis, *Naissance du peintre Whistler.* — Russie, *Naissance du compositeur Borodine.*

SOURCES ET COMPOSITION DE « LORENZACCIO »

C'est probablement Jules Sandeau qui avait signalé à George Sand, au lendemain de la révolution de 1830, un passage des chroniques du Florentin Varchi, plein d'une actualité imprévue : c'était le récit d'une conspiration républicaine montée en 1537 contre Alexandre de Médicis, conspiration qui avait échoué, puisqu'elle s'était terminée par l'avènement d'un autre duc.

Benedetto Varchi (1502-1562), historien et poète, avait relaté à la demande du duc Côme de Médicis les événements qui s'étaient déroulés à Florence de 1527 à 1538. Mais ce n'était pas un panégyriste officiel : il avait participé lui-même à la conjuration dans les rangs des républicains et avait composé des vers en l'honneur de Lorenzo « le tyrannicide ».

Exilé en même temps que ses amis Strozzi, il avait servi de précepteur à leurs enfants. Très renseigné, donc, et par surcroît très lucide, il avait pu apprécier le fort et le faible des différents partis, et dans son livre il juge les Strozzi et les Médicis avec une égale sévérité. Donc, utilisant à la fois ses souvenirs personnels et ceux des témoins les plus divers, ainsi que tous les documents officiels, il offre plus de garanties qu'on n'en trouve d'ordinaire chez les historiens de cette époque. George Sand et, plus tard, Musset lui devront beaucoup plus que la simple narration des faits.

George Sand se mit avec ardeur au travail. On a quelquefois présenté son manuscrit comme une ébauche de drame qu'elle aurait abandonné sans le finir. La vérité est un peu différente. Vers les années 1830 prospérait un genre littéraire très particulier : les scènes historiques. Les auteurs de ces œuvres, sans penser à une éventuelle représentation, découpaient en scènes dialoguées des événements marquants de l'histoire lointaine, généralement de l'histoire de France. Ils n'avaient pas l'intention d'écrire des drames. Un spécialiste de ces découpages, Ludovic Vitet, affirmait même dans une de ses préfaces (*les Barricades*, 1826) : « Ce n'est point une pièce de théâtre qu'on va lire, ce sont des faits historiques présentés sous la forme dramatique, mais sans la prétention d'en composer un drame. » C'est le premier jet — achevé — d'un ouvrage de ce genre que contient le manuscrit de George Sand intitulé *Une conspiration en 1537*, manuscrit qu'elle confia à Musset au début de leur liaison, probablement pendant l'été 1833[1].

Le travail de Musset a donc consisté non pas à remanier un drame de George Sand, mais à tirer d'une série de scènes qui ne tenaient ensemble que par un lien chronologique une œuvre composée. Il recourut aux sources, rectifia des erreurs historiques et refondit la pièce, au point qu'il ne subsista plus de l'original que quelques phrases et quelques fragments de scène. Il ajouta même des traits de couleur locale plus exacts que ceux de George Sand. Mais son principal mérite est d'avoir élargi le sujet. Comme la plupart de ses manuscrits successifs ont été conservés, nous pouvons suivre le travail de Musset. Il multiplie les personnages et les scènes, donne à la plupart de ces personnages une vie privée et une complexité intérieure qui mettent en valeur les actes politiques; et, surtout, il centre la pièce autour de Lorenzo. Chaque version nouvelle rend la matière plus riche et la composition plus rationnelle. Nul doute d'autre part que sa peinture de Florence ne soit plus évocatrice que celle qu'il avait trouvée chez ses devanciers.

A ce propos se pose une question controversée : *Lorenzaccio* fut publié en août 1834; or, Musset a voyagé à travers l'Italie de décembre 1833 à mars 1834 : la pièce fut-elle écrite avant, pendant ou après ce voyage? Certains, Paul de Musset par exemple, croient servir la gloire de l'auteur en la lui faisant écrire sur place, d'autres soutiennent qu'une pièce si discrètement florentine ne doit rien au séjour d'Italie et qu'elle était finie avant son départ. On admet généralement aujourd'hui que la pièce était largement avancée en décembre 1833, que Musset n'a guère tra-

1. Voir dans la Documentation thématique les deux premières scènes de la pièce.

vaillé en voyage et qu'il l'a remaniée à son retour entre mars et août 1834.

Peut-on préciser davantage? Plusieurs érudits ont consacré à cette question de minutieuses études sans arriver à une solution décisive. Comme l'écrit le dernier en date : « Quant à distinguer les scènes ou les parties de scènes qui datent de chacune de ces périodes, elles ne sauraient y parvenir. C'est pourtant de beaucoup ce qu'il nous importerait le plus de connaître : mais, ainsi que je le disais, il est à craindre que notre curiosité à cet endroit reste toujours insatisfaite[1]. »

REPRÉSENTATIONS DE « LORENZACCIO »

La pièce parut donc en août 1834 avec le deuxième volume des *Comédies et proverbes*. La première fois qu'il fut question de la porter au théâtre, la censure de Napoléon III l'interdit en ces termes : « La discussion du droit d'assassiner un souverain dont les crimes et les iniquités crient vengeance, le meurtre même du prince par un de ses parents, type de dégradation et d'abrutissement, nous paraissent un spectacle dangereux à montrer au public. » En fait, les exigences de la scène s'opposaient bien davantage à la représentation. Malgré l'avis défavorable de Dumas fils, qui la jugeait injouable, Sarah Bernhardt fit retoucher la pièce pour le théâtre par Armand d'Artois, qui la condensa en six tableaux. La pièce fut représentée le 3 décembre 1896, Sarah Bernhardt tenant elle-même le rôle de Lorenzaccio. Ce fut un triomphe auquel s'associa toute la presse. Mais il fallut attendre à peu près trente ans pour que la compagnie Falconetti, puis la Comédie-Française mettent en scène la véritable pièce de Musset.

En effet, le 23 décembre 1925, Mme Falconetti monta *Lorenzaccio* à peu près intégralement au Grand Théâtre de Monte-Carlo; le spectacle passa ensuite à Paris, au théâtre de l'Avenue, sur une scène de dimensions réduites. Les décors, très schématiques, étaient très en avance sur l'art de l'époque. Mme Falconetti obtint un grand succès personnel dans le rôle de Lorenzo. C'est à quelque temps de là, le 4 juin 1927, que *Lorenzaccio* entra enfin au répertoire de la Comédie-Française, « adapté » en quatorze tableaux par l'administrateur Emile Fabre. Le texte subissait de nombreuses coupures, qui affectaient surtout le quatrième acte. Certaines scènes étaient déplacées, et l'adaptateur avait même ajouté quelques répliques de son cru. Les décors et les costumes visaient à la fidélité historique totale, sans aucune transposition, mais certaines scènes étaient jouées devant des rideaux de couleur. Le rôle de Lorenzo était une fois de plus tenu par une femme.

Depuis lors, deux reprises surtout ont marqué l'histoire de la pièce : celle de la compagnie Gaston Baty, au théâtre Montparnasse, le 10 octobre 1945, et celle du T. N. P., le 15 juillet 1952, dans la cour du palais des Papes d'Avignon.

Gaston Baty avait imaginé un décor fixe, faiblement éclairé, qui servait pour toutes les scènes. Mais, au centre de ce décor, en pleine lumière,

1. P. Dimoff : *la Genèse de « Lorenzaccio »*. Introduction, p. XLV.

se succédaient des panneaux qui évoquaient de façon à la fois stylisée et somptueuse les différents lieux de l'action. L'interprétation restait très traditionnelle, ainsi que les coupures, et l'interprète de Lorenzo était encore une femme : Marguerite Jamois.

Jean Vilar, au contraire, changeait le décor entre chaque tableau, mais ce décor se réduisait à quelques objets symboliques. Gérard Philipe jouait Lorenzo. La pièce comportait encore quelques coupures. Elle fut reprise par la suite au palais de Chaillot avec la même mise en scène.

Lorenzaccio n'a encore jamais été joué intégralement. Les coupures, qui jusqu'ici ont été jugées inévitables à cause de la longueur de la pièce, sont surtout pratiquées dans les scènes qui concernent les Strozzi. Esthétiquement, c'est peut-être la moins mauvaise solution, mais l'œuvre ainsi obtenue fait passer au second plan la tragédie politique et accentue encore l'importance du héros principal.

ANALYSE DE LA PIÈCE

(Les scènes principales sont marquées d'un astérisque.)

■ *ACTE PREMIER.* **Florence en 1537.**

*SCÈNES I ET II.** Les deux aspects de Florence après la restauration des Médicis : les familiers d'Alexandre se permettent impunément toutes les insolences, le peuple cherche à oublier ses malheurs en s'enrichissant le plus possible et en admirant les fêtes de loin.

SCÈNE III. Le marquis Cibo, avant de partir pour ses terres, confie sa femme au cardinal Cibo, son frère.

*SCÈNE IV.** C'est l'entrée en scène de Lorenzaccio. Justement les messagers du pape reprochent au duc Alexandre ses indulgences envers le jeune débauché. Il entre, rabroue les ambassadeurs, mais feint de s'évanouir à la vue d'une épée nue quand sire Maurice le provoque en duel.

SCÈNE V. Après le peuple résigné, le peuple en révolte. Un pèlerinage populaire permet de constater la brutalité des gardes allemandes de Charles Quint, et le mécontentement des républicains.

SCÈNE VI. La mère et la tante de Lorenzaccio déplorent ses débauches, tandis que passent sous les fenêtres les suspects bannis par ses conseils.

■ *ACTE II.* **Une occasion favorable pour tuer Alexandre.**

SCÈNE PREMIÈRE. Un outrage fait à Louise Strozzi renforce encore la haine de la famille républicaine des Strozzi contre Alexandre.

*SCÈNE II.** Lorenzo constate dans une conversation avec un jeune peintre que le patriotisme républicain des Florentins n'est pas mort.

*SCÈNE III.** Le cardinal Cibo, désireux de tenir un rôle politique auprès d'Alexandre par l'intermédiaire de sa belle-sœur, essaie de la mettre dans son jeu sous prétexte de la confesser.

SCÈNE IV. Lorenzo, en présence du duc et d'autres visiteurs, se montre conforme à ce qu'il est depuis longtemps, mais il a eu le temps de dire à sa mère que cette conduite ne durerait pas.

SCÈNE V. Pour venger les injures faites à Louise, puis à Léon Strozzi, Pierre Strozzi vient d'abattre un familier du duc : Julien Salviati.

SCÈNE VI. Lorenzo profite d'une séance de pose pour voler la cotte de mailles qui protégeait Alexandre.

■ *ACTE III.* **La préparation du meurtre.**

SCÈNE PREMIÈRE.* Lorenzo s'exerce avec un spadassin au maniement de l'épée.

SCÈNE II. De leur côté, les Strozzi décident de prêter à la conjuration républicaine des Pazzi toute leur activité.

*SCÈNE III.** Pierre et Thomas Strozzi sont arrêtés. Philippe obtient de Lorenzo l'explication de son étrange conduite. Il s'est associé aux débauches d'Alexandre pour capter sa confiance et le tuer, mais cette débauche l'a gagné; il n'en commettra pas moins son meurtre bien qu'il le juge inutile.

SCÈNES IV, V, VI ET VII*.* Tandis que la mère et la tante de Lorenzo se désolent de son cynisme, la marquise Cibo essaie vainement d'user de son influence sur Alexandre pour faire changer la situation de Florence. Cependant, devant tous les Strozzi assemblés, Louise Strozzi meurt empoisonnée par un complice du duc.

■ *ACTE IV.* **Le meurtre.**

SCÈNES I ET II. Lorenzo attire le duc chez lui. Pierre et Thomas Strozzi apprennent le meurtre de leur sœur.

SCÈNE III. Dernières recommandations de Lorenzo au spadassin. Lorenzo s'interroge sur son destin.

SCÈNE IV.* Pour échapper au cardinal Cibo qui veut se servir d'elle pour gouverner sous le nom d'Alexandre, la marquise avoue à son mari qui revient son intrigue avec le duc.

SCÈNES V ET VI. Lorenzo se recueille avant le meurtre, et les Strozzi décident d'agir avec le concours du roi de France.

SCÈNE VII. Lorenzo prévient tous les républicains florentins de la mort prochaine d'Alexandre. Il se heurte à l'incrédulité générale.

SCÈNES VIII ET IX.* Tandis que les Strozzi ne peuvent se mettre d'accord sur un plan d'action, Lorenzo médite une dernière fois avant le meurtre.

SCÈNES X ET XI. Le cardinal Cibo met en garde Alexandre contre Lorenzo, mais en vain. Meurtre d'Alexandre.

■ *ACTE V.* **Le meurtre reste inutile.**

SCÈNE PREMIÈRE. A l'instigation du cardinal Cibo, l'entourage d'Alexandre proclame duc de Florence Côme de Médicis.

*SCÈNE II.** A Venise, Philippe Strozzi témoigne son admiration et sa joie à Lorenzo.

*SCÈNES III A VII.** Les Florentins sont restés inertes, et Côme est accepté sans résistance. Lorenzo, après avoir une dernière fois démontré à Philippe Strozzi que son œuvre a été inutile, est assassiné à Venise sur l'ordre de Côme.

L'HISTOIRE. *LORENZO DE MÉDICIS (1514-1548).*

L'Italie est à ce moment livrée à deux influences contraires : celle de Charles Quint, qui soutient le pape et les petits princes italiens, et celle de François Ier, qui, par contrecoup, s'est rapproché des républicains.

Or la république de Florence se trouve sous la tutelle de fait de la riche famille des Médicis, qui ont profité de la décadence florentine pour accaparer la charge de gonfalonier. Leur situation s'est encore affermie depuis l'élection d'un des leurs à la papauté sous le nom de Clément VII (1523). En 1527, les Florentins, mécontents de la domination des Médicis, profitèrent des difficultés entre Rome et François Ier pour les expulser et rétablir la constitution républicaine; mais ils n'avaient pas les forces nécessaires, et, dès 1531, ils se rendaient sans résistance aux armées de Charles Quint massées à Bologne sur la demande du pape.

Celui-ci, dès la reddition de la ville, fait reconnaître comme duc de Florence son fils naturel, Alexandre, un mulâtre de vingt ans, stupide, cruel et débauché : il s'empresse de consolider les alliances en négociant le mariage d'Alexandre avec une fille de Charles Quint, alors âgée d'une douzaine d'années. Le nouveau duc et les favoris qu'il a ramenés avec lui ne tardent pas à mécontenter les Florentins, d'autant qu'on a construit une citadelle et que Charles Quint a envoyé des gardes allemandes pour surveiller la ville. Les anciennes familles républicaines, pour la plupart parentes des Médicis, se mettent à conspirer, mais sans grande activité.

Lorenzo de Médicis est alors âgé d'une vingtaine d'années. Né en 1514 de Pierre-François de Médicis, gentilhomme malade et un peu fou qui laissera sa famille dans la gêne, et de Marie Soderini, il connaît une enfance très agitée et reçoit une éducation désordonnée à la campagne, où la famille vit par économie. En 1525, le père meurt, et, bientôt après, la révolte de Florence oblige Marie et ses enfants à se réfugier à Venise, où ils vivent misérablement. Nous retrouvons Lorenzo familier de Clément VII à Bologne puis à Rome, où il a suivi le pape non pas pour le tuer, comme l'a imaginé Musset, mais pour vivre à ses crochets. Il en est expulsé en 1534 pour avoir mutilé les statues de l'arc de Constantin. Les raisons de cet acte demeurent mystérieuses; quoi qu'il en soit, il rentre à Florence et s'installe auprès de sa mère dans une maison très misérable attenant au palais Médicis. Lorenzo ne tarde pas à se lier d'amitié avec le duc Alexandre en feignant de partager ses goûts crapuleux ou en les partageant réellement, ce qui lui vaut du peuple le surnom méprisant de Lorenzaccio. Il reste néanmoins en relations avec les agents de François Ier, les bannis et les conspirateurs, par l'intermédiaire de l'humaniste Philippe Strozzi. C'est dans ces conditions que, le 6 janvier 1537, il attire le duc dans un guet-apens et le tue.

Il semble prouvé que Lorenzo n'avait pas l'intention d'assassiner Alexandre en entrant à son service, mais les vraies raisons de son acte restent incertaines. Sans doute le duc avait donné tort à Lorenzo dans un procès et avait ainsi ruiné toute la famille, sans doute le jeune homme entendait prôner journellement par la coterie humaniste des Strozzi les tyrannicides anciens, mais, malgré la minutieuse préméditation de l'attentat, rien ne permet de juger les actes de Lorenzo comme ceux d'un être normal. Il sait parfaitement que son meurtre ne servira à rien, et il l'accomplit comme un fou qui réalise son idée fixe.

Le meurtre d'Alexandre reste inutile. Les bannis et François Ier laissent éclater leur joie, mais n'arrivent à rien. Les Florentins demeurent passifs pendant que le cardinal Cibo négocie l'avènement de Côme de Médicis, cousin germain de Lorenzo, et l'opinion publique a vite fait de flétrir l'assassinat d'Alexandre. Cependant Lorenzo fuit vers Venise, puis vers la France, où il reste jusqu'en 1548, traqué par les espions de Côme. Il est assassiné par eux à Venise le 26 février 1548.

SOURCES ET INTERPRÉTATIONS DES SOURCES

Telle est à peu près l'histoire de Lorenzaccio que Musset trouva dans les chroniques de Varchi et dans l'esquisse de George Sand. Celle-ci, nous l'avons vu, s'intéressait surtout au sujet de cette conspiration manquée. Pour Musset, c'est sur le personnage de Lorenzo que se porte tout l'intérêt. Ses lectures récentes le préparaient à la pièce : il trouvait dans la *Conjuration de Fiesque* de Schiller un personnage assez semblable. Shakespeare lui fournissait Hamlet, prototype de tous les héros qui assassinent par devoir. Musset trouvait aussi chez le dramaturge anglais l'atmosphère florentine de la Renaissance et des modèles de pièces divisées en tableaux courts sans transitions, comme il convient à la transcription dramatique d'une chronique.

Mais il ne comptait pas pour cela renoncer aux rapprochements esquissés par George Sand entre la Renaissance et l'époque contemporaine. Si son voyage dans la Florence moderne lui procura peu de documents sur l'ancienne, la vie française lui en fournit davantage. Il insiste longuement sur l'apathie d'une civilisation de marchands devant un monarque qui fait prospérer leur commerce et sur la vaine solennité des conspirateurs. Sans doute il mêle à la satire une pointe de parodie : il a fait le cardinal Cibo trop noir pour qu'on puisse le rapprocher des prêtres du XIXe siècle, mais l'intention satirique est perceptible dans les actes et quelquefois même dans le choix des mots.

LE ROMANTISME

Si l'on admet que la confession personnelle et la couleur locale historique sont les deux attributs essentiels d'un drame romantique, il convient d'examiner si *Lorenzaccio* constitue à ce double titre le modèle du genre.

Sans doute Musset a voulu se peindre lui-même, non pas tel qu'il était (de nombreux témoignages le prouvent), mais avec les traits, les manières et les idées qu'il s'attribuait après son douloureux retour d'Italie. Il écrit par exemple à sa marraine, Mme Jaubert : « Tout le monde est d'accord du désagrément de mon abord dans un salon. Non seulement j'en suis d'accord avec tout le monde, mais ce désagrément m'est plus désagréable qu'à personne. D'où vient-il ? De deux causes premières, orgueil, timidité. » Voilà pour l'extérieur. Quant aux sentiments : « Je me suis regardé, et je me suis demandé si, sous cet extérieur raide, grognon et impertinent, peu sympathique, il n'y avait pas primitivement quelque chose de passionné et d'exalté à la manière de Rousseau. » On reconnaît aisément le personnage dans les grandes lignes comme on le reconnaît tout au long de la pièce dans des détails transparents. La conclusion seule diffère. Chez Lorenzo la réalité est devenue conforme à l'apparence, et il va commettre un acte inutile et désespéré. Musset n'en commettra aucun, et dès l'année 1835 nous le trouvons plus actif que jamais. Il ne faudrait pas oublier que le personnage était sans doute plus qu'ébauché avant le voyage d'Italie, au moment où Musset n'avait aucune raison de désespérer. L'auteur n'a pas dédaigné de donner à son héros quelques-uns de ses propres traits, surtout les plus voyants, mais beaucoup de sentiments de Lorenzaccio sont des lieux communs du romantisme, plus proches des sources littéraires de Musset que de sa vie.

Héros romantique ou réplique de Musset, Lorenzaccio constitue en tout cas un anachronisme à Florence au XVIe siècle. Néanmoins, *Lorenzaccio* est, de l'avis général, le meilleur drame romantique que nous possédions. Pour la conscience historique d'abord : Musset a confronté ses sources, il a rectifié dans le manuscrit de George Sand et même dans les chroniques des erreurs graves. Les inexactitudes sont légères et toujours involontaires. George Sand n'avait pas pu résister à l'envie de faire vivre Clément VII quelques années de plus et de broder sur les circonstances de l'attentat. Musset a supprimé ces effets faciles. Il s'est borné, pour conclure son drame, à avancer la mort de Lorenzo, mais le personnage n'a plus à cette époque aucun caractère historique.

D'ailleurs, l'exactitude ne constitue en la matière qu'une qualité négative. Musset a reconstitué l'ambiance florentine avec beaucoup d'intuition. Entre les personnages existants, il a choisi les plus typiques pour les mettre au premier plan, et il en a fait des symboles ou même des contemporains sans leur enlever leur intérêt historique. Nous sommes dans une ancienne république, nous voyons donc le peuple et ses intérêts contradictoires. Dans les deux factions qui se disputent le pouvoir, nous démêlons ceux qui y sont entrés par intérêt, par idéal, par lassitude ou par fidélité. Avec quelques personnages seulement, le tableau est complet, cohérent et attachant.

L'ART DRAMATIQUE

Même s'il ne l'avait pas proclamé bien des fois, il serait superflu de démontrer que Musset ne pensait pas à la scène en écrivant sa pièce. La longueur est inusitée. Les scènes morcelées, qui produisent à la lecture des effets frappants, défient quelquefois la mise en scène et la faculté d'attention des spectateurs éventuels. Et malgré tout la pièce a été jouée, remaniée d'abord, puis à peu près intégrale, avec un succès éclatant. Comment expliquer cette anomalie?

D'abord, ce morcellement même des scènes ne manque pas de valeur dramatique dans une si sombre tragédie. Sans doute une ambiance est nécessaire, mais elle lasse en restant constamment impressionnante, comme dans *les Burgraves* de Victor Hugo. La maison de Marie Soderini ou le champ de foire de Montolivet nous reposent au bon moment des intrigues de palais. Mais la pièce, malgré son extérieur tumultueux, possède le mouvement des plus pures tragédies classiques. Nous ne sentons d'abord que l'atmosphère de la conspiration, puis, comme dans Racine, nous voici au point critique d'une situation depuis longtemps pendante. Le mouvement se précipite, des données d'abord éparses se réunissent, le meurtre devient probable, puis inévitable. Il a lieu au quatrième acte comme dans *Andromaque*, et la pièce se termine plus lentement quand toutes les questions en suspens sont résolues. On peut difficilement pousser plus loin l'unité d'action.

D'ailleurs, Musset a employé toute son adresse inconsciente à créer des caractères propres à la scène. Lorenzo est énigmatique sans jamais devenir incohérent. Dès la scène du duel, où George Sand avait laissé subsister quelque doute, Musset a voulu que nous sachions que la lâcheté de son héros était feinte. Du reste, chaque fois qu'il l'a pu, Musset a souligné les traits de caractère par des détails matériels ou des jeux de scène.

LE STYLE

Nous en arrivons au point le plus déconcertant et le plus contestable. Jamais, en aucun temps, on n'a parlé comme ces personnages, même si l'on fait la part de la convention dramatique. L'orfèvre compose pour son voisin le marchand un apologue de trente lignes, cadencé comme un morceau de poésie, et les monologues défient la plus élémentaire vraisemblance. Et surtout, les styles de tous ces personnages se ressemblent en dépit des conditions sociales et des situations. On peut noter comme contrepartie l'extrême diversité, les images qui naissent les unes des autres, le mélange harmonieux de tous les genres, les hardiesses d'expression voisinant avec les plus savoureux archaïsmes et les tirades minutieusement composées. Néanmoins, l'ensemble reste contourné. Musset a parfaitement réussi ce qu'il voulait faire, mais, au moins pour le style, *Lorenzaccio* marque une évolution significative dans le drame romantique, que ses créateurs avaient voulu populaire.

Nous avons suivi le texte de 1853, le dernier revu par Musset. On préfère généralement, pour les *Comédies et proverbes*, le texte de l'édition originale parce que, entretemps, l'auteur a revu la plupart de ses pièces et les a adaptées — souvent en les mutilant — pour la scène. Mais il n'a jamais pensé à faire jouer *Lorenzaccio*, et il n'a fait, en 1853, que des corrections matérielles judicieuses.

PERSONNAGES

ALEXANDRE DE MÉDICIS[1], duc de Florence.

LORENZO DE MÉDICIS (Lorenzaccio) . . . . . } ses cousins.
CÔME DE MÉDICIS . . . . }

LE CARDINAL CIBO[2].

LE MARQUIS DE CIBO[3], son frère.

SIRE MAURICE[4], chancelier des Huit.

LE CARDINAL BACCIO VALORI[5], commissaire apostolique.

JULIEN SALVIATI[6].

PHILIPPE STROZZI[7].

PIERRE STROZZI[8] . . . . }
THOMAS STROZZI[9] . . . . } ses fils.
LÉON STROZZI, prieur de Capoue[10] . . . . }

ROBERTO CORSINI, provéditeur de la forteresse[11].

---

1. Voir pour les trois Médicis la notice détaillée, p. 14. Alexandre est alors âgé de vingt-sept ans, Lorenzo de vingt-trois ans et Côme de dix-huit ans; **2.** *Cibo.* Musset mélange, probablement à dessein, l'archevêque J.-B. Cybo, qui essaya de venger son frère outragé en montant contre Alexandre de Médicis une machine infernale, et le cardinal Innocent Cybo, qui n'a du personnage que le rôle politique; **3.** Le marquis et la marquise mis en scène par Musset n'ont eu aucun rôle historique; **4.** *Sire Maurice de Milan.* « Homme très cruel, d'allures méchantes, en qui le duc avait grande confiance » (Varchi); **5.** *Valori.* Florentin qui avait été envoyé contre Florence pour rétablir les Médicis et avait reçu le titre de commissaire apostolique pour commander les troupes; **6.** *Julien Salviati.* Représentant de la riche famille des Salviati, banquiers florentins. La mère de Côme de Médicis en faisait partie. Ce Julien est qualifié par Varchi d' « homme léger et de petit cerveau »; **7.** *Philippe Strozzi.* Possède dans l'histoire un caractère très différent de celui que Musset lui prête. C'était un banquier artiste, humaniste et débauché. Il avait épousé, en 1509, une Médicis grâce au père de Lorenzo. En reconnaissance, il fit à sa façon l'éducation mondaine du jeune homme. Il ne devint l'ennemi d'Alexandre qu'après l'empoisonnement de sa fille Louise, et finit par se rallier à Côme; **8.** *Pierre Strozzi.* Caractère beaucoup plus noble. Il avait négocié l'intervention de François Ier dans les affaires de la Toscane pour essayer de renverser les Médicis. A l'avènement de Côme, il se réfugie en France, épouse la sœur de Lorenzo, veuve d'Alamanno Salviati, et devient maréchal de France. Il meurt au siège de Thionville; **9.** *Thomas Strozzi.* N'était en réalité que le cousin de Pierre et de Léon; **10.** *Léon Strozzi.* Frère de Pierre. Prieur, c'est-à-dire magistrat, mais non ecclésiastique. Il fut par la suite marin au service de la France, puis pirate, puis de nouveau amiral français par haine des Médicis; **11.** *Provéditeur :* nom que les républiques italiennes donnaient à certains fonctionnaires supérieurs. Ici, c'est le gouverneur de la citadelle.

PALLA RUCCELLAI. . . . .
ALAMANNO SALVIATI . . . . . } seigneurs républicains[1].
FRANÇOIS PAZZI . . . .
BINDO ALTOVITI[2], oncle de Lorenzo.
VENTURI, bourgeois.
TEBALDEO[3], peintre.
SCORONCONCOLO[4], spadassin.
LES HUIT[5].
GIOMO LE HONGROIS[6], écuyer du duc.
MAFFIO, bourgeois.
MARIE SODERINI[7], mère de Lorenzo.
CATHERINE GINORI[8], tante de Lorenzo.
LA MARQUISE DE CIBO.
LOUISE STROZZI[9],
Deux dames de la cour et un officier allemand.
Un orfèvre, un marchand, deux précepteurs et deux enfants, pages, soldats, moines, courtisans, bannis, écoliers, domestiques, bourgeois, etc[10].

La scène est à Florence[11].

---

1. Les *Ruccellai* et les *Pazzi* sont deux puissantes familles républicaines de Florence. Musset commet ici un anachronisme. *Alamanno Salviati* est mort à cette époque. Il avait épousé la sœur aînée de Lorenzo. Celle-ci, une fois veuve, joua la rôle que Musset prête ici à Catherine Ginori; 2. *Altoviti*. Oncle par alliance de Lorenzo. Ardent républicain qui favorisera sa fuite plus tard; 3. *Tebaldeo* comme *Venturi* semblent bien avoir été imaginés par Musset; 4. *Scoronconcolo*. Le rôle de ce personnage et son surnom sont authentiques; 5. *Huit*. Un des conseils du gouvernement de Florence : Alexandre laisse à celui-ci le pouvoir judiciaire. Sire Maurice en est le chancelier (voir plus haut). Certains d'entre eux, que Musset n'a pas cités nommément, apparaissent cependant pour un rôle épisodique à la première scène de l'acte V : Vettori, Capponi, Niccolini, Acciaiuoli, Corsi; 6. *Giomo* et le *Hongrois* sont, en réalité, deux personnages distincts, hommes de confiance du duc; 7. *Marie*. Très séduisante d'après ses portraits et très énergique. Mariée en 1512, veuve et pauvre en 1525, elle s'exile en 1526 par peur de l'invasion française. Elle mène avec ses enfants une vie errante, puis rentre à Florence, où les Médicis lui laissent, derrière leur palais, une bicoque à partager avec Marie Salviati et le futur duc Côme; 8. *Catherine Ginori*. Personnage réel; sœur de Marie, elle était mariée à Léonardo Ginori; mais Musset fait de Catherine la belle-sœur de Marie. Elle n'a que vingt-deux ans, et il existe entre Lorenzo et elle une affection fraternelle. Musset lui fait jouer, dans la préparation du meurtre d'Alexandre, le rôle joué précisément par la sœur aînée de Lorenzo, veuve d'Alamanno Salviati; 9. *Louise*. Son rôle est conforme à la vérité historique. Un chroniqueur du temps vante « sa beauté, la perfection de ses manières et sa grandeur d'âme »; 10. Il faudrait ajouter à cette liste Guicciardini (acte V, scène première); 11. En janvier 1537. Au cinquième acte, certaines scènes se passent aussi à Venise.

Phot. Larousse.

LE PALAIS STROZZI

D'après une gravure du XIXe siècle.

LORENZACCIO

ACTE PREMIER

Scène première.

Un jardin. — Clair de lune. Un pavillon dans le fond, un autre sur le devant.

Entrent LE DUC, LORENZO, *couverts de leurs manteaux;* GIOMO, *une lanterne à la main.*

LE DUC. — Qu'elle se fasse attendre encore un quart d'heure, et je m'en vais. Il fait un froid de tous les diables.

LORENZO. — Patience, Altesse, patience.

LE DUC. — Elle devait sortir de chez sa mère à minuit; il
5 est minuit, et elle ne vient pourtant pas.

LORENZO. — Si elle ne vient pas, dites que je suis un sot, et que la vieille mère est une honnête femme.

LE DUC. — Entrailles du pape! avec tout cela je suis volé d'un millier de ducats[1].

10 LORENZO. — Nous n'avons avancé que moitié. Je réponds de la petite. Deux grands yeux languissants, cela ne trompe pas. Quoi de plus curieux pour le connaisseur que la débauche à la mamelle? Voir dans une enfant de quinze ans la rouée à venir; étudier, ensemencer, infiltrer paternellement le filon
15 mystérieux du vice dans un conseil d'ami, dans une caresse au menton; — tout dire et ne rien dire, selon le caractère des parents; — habituer doucement l'imagination qui se développe à donner des corps à ses fantômes, à toucher ce qui l'effraie, à mépriser ce qui la protège! Cela va plus vite qu'on
20 ne pense; le vrai mérite est de frapper juste. Et quel trésor que celle-ci! tout ce qui peut faire passer une nuit délicieuse à votre Altesse! Tant de pudeur! Une jeune chatte qui veut bien des confitures, mais qui ne veut pas se salir la patte. Proprette comme une Flamande! La médiocrité bourgeoise

---

1. Le *ducat* est une grosse pièce d'or dont la valeur a varié selon les époques et les lieux. Elle n'a jamais été inférieure à dix francs-or.

25 en personne. D'ailleurs, fille de bonnes gens, à qui leur peu de fortune n'a pas permis une éducation solide; point de fond dans les principes, rien qu'un léger vernis; mais quel flot violent d'un fleuve magnifique sous cette couche de glace fragile qui craque à chaque pas! Jamais arbuste en fleurs n'a 30 promis de fruits plus rares, jamais je n'ai humé dans une atmosphère enfantine plus exquise odeur de courtisanerie.

LE DUC. — Sacrebleu! je ne vois pas le signal. Il faut pourtant que j'aille au bal chez Nasi[1]! c'est aujourd'hui qu'il marie sa fille.

35 GIOMO. — Allons au pavillon, monseigneur; puisqu'il ne s'agit que d'emporter une fille qui est à moitié payée, nous pouvons bien taper aux carreaux.

LE DUC. — Viens par ici; le Hongrois a raison. *(Ils s'éloignent. — Entre Maffio.)*

40 MAFFIO. — Il me semblait dans mon rêve voir ma sœur traverser notre jardin, tenant une lanterne sourde, et couverte de pierreries. Je me suis éveillé en sursaut. Dieu sait que ce n'est qu'une illusion, mais une illusion trop forte pour que le sommeil ne s'enfuie pas devant elle. Grâce au ciel, les fenêtres 45 du pavillon où couche la petite sont fermées comme de coutume; j'aperçois faiblement la lumière de sa lampe entre les feuilles de notre vieux figuier. Maintenant mes folles terreurs se dissipent; les battements précipités de mon cœur font place à une douce tranquillité. Insensé! mes yeux se remplissent de 50 larmes, comme si ma pauvre sœur avait couru un véritable danger. — Qu'entends-je? Qui remue là entre les branches? *(La sœur de Maffio passe dans l'éloignement.)* Suis-je éveillé? c'est le fantôme de ma sœur, il tient une lanterne sourde et un collier brillant étincelle sur sa poitrine aux rayons de la 55 lune. Gabrielle! Gabrielle! où vas-tu? *(Rentrent Giomo et et le duc.)*

GIOMO. — Ce sera le bonhomme de frère pris de somnambulisme. — Lorenzo conduira votre belle au palais par la petite porte; et quant à nous, qu'avons-nous à craindre?

60 MAFFIO. — Qui êtes-vous? Holà! arrêtez! *(Il tire son épée.)*

GIOMO. — Honnête rustre, nous sommes tes amis.

MAFFIO. — Où est ma sœur? que cherchez-vous ici?

---

1. La puissante famille des *Nasi* s'était ralliée aux Médicis.

GIOMO. — Ta sœur est dénichée[1], brave canaille. Ouvre la grille de ton jardin.

65 MAFFIO. — Tire ton épée et défends-toi, assassin que tu es!

GIOMO, *saute sur lui et le désarme.* — Halte-là! maître sot, pas si vite!

MAFFIO. — O honte! ô excès de misères! S'il y a des lois à Florence, si quelque justice vit encore sur la terre, par ce 70 qu'il y a de vrai et de sacré au monde, je me jetterai aux pieds du duc, et il vous fera pendre tous les deux.

GIOMO. — Aux pieds du duc?

MAFFIO. — Oui, oui, je sais que les gredins de votre espèce égorgent impunément les familles. Mais que je meure, enten- 75 dez-vous, je ne mourrai pas silencieux comme tant d'autres. Si le duc ne sait pas que sa ville est une forêt pleine de bandits, pleine d'empoisonneurs et de filles déshonorées, en voilà un qui le lui dira. Ah! massacre! ah! fer et sang! j'obtiendrai justice de vous!

80 GIOMO, *l'épée à la main.* — Faut-il frapper, Altesse?

LE DUC. — Allons donc! frapper ce pauvre homme! Va te coucher, mon ami : nous t'enverrons demain quelques ducats. *(Il sort.)*

MAFFIO. — C'est Alexandre de Médicis!

GIOMO. — Lui-même, mon brave rustre. Ne te vante pas de 85 sa visite si tu tiens à tes oreilles. *(Il sort.)*

SCÈNE II.

Une rue. — Le point du jour. — Plusieurs masques sortent d'une maison illuminée.

UN MARCHAND DE SOIERIES *et* UN ORFÈVRE *ouvrent leurs boutiques.*

LE MARCHAND DE SOIERIES. — Hé! hé! père Mondella, voilà bien du vent pour mes étoffes. *(Il étale ses pièces de soie.)*

1. Au sens premier du terme : tirée du nid.

QUESTIONS

● SCÈNE PREMIÈRE. — Quel est l'effet produit par le décor? — Dans quelle mesure la scène est-elle une exposition?
— La vulgarité d'Alexandre; le cynisme raffiné de Lorenzo.
— Vous expliquerez le rôle de Maffio. — Dans quelle mesure le langage emphatique de celui-ci est-il parodique?

L'ORFÈVRE, *bâillant.* — C'est à se casser la tête. Au diable leur noce! Je n'ai pas fermé l'œil de la nuit.

5 LE MARCHAND. — Ni ma femme non plus, voisin : la chère âme s'est tournée et retournée comme une anguille. Ah! dame! quand on est jeune, on ne s'endort pas au bruit des violons.

L'ORFÈVRE. — Jeune! jeune! cela vous plaît à dire. On n'est pas jeune avec une barbe comme celle-là; et cependant Dieu 10 sait si leur damnée musique me donne envie de danser! *(Deux écoliers passent.)*

PREMIER ÉCOLIER. — Rien n'est plus amusant. On se glisse contre la porte au milieu des soldats, et on les[1] voit descendre avec leurs habits de toutes les couleurs. Tiens! voilà la maison 15 des Nasi. *(Il souffle dans ses doigts.)* Mon portefeuille[2] me glace les mains.

DEUXIÈME ÉCOLIER. — Et on nous laissera approcher?

PREMIER ÉCOLIER. — En vertu de quoi est-ce qu'on nous en empêcherait? Nous sommes citoyens de Florence. Regarde 20 tout ce monde autour de la porte; en voilà des chevaux, des pages et des livrées! Tout cela va et vient, il n'y a qu'à s'y connaître un peu; je suis capable de nommer toutes les personnes d'importance; on observe bien tous les costumes, et le soir on dit à l'atelier : J'ai une terrible envie de dormir; j'ai 25 passé la nuit au bal chez le prince Aldobrandini, chez le comte Salviati[3], le prince était habillé de telle ou telle façon; la princesse de telle autre, et on ne ment pas. Viens, prends ma cape par-derrière. *(Ils se placent contre la porte de la maison.)*

L'ORFÈVRE. — Entendez-vous les petits badauds? Je voudrais 30 qu'un de mes apprentis fît un pareil métier!

LE MARCHAND. — Bon! bon! père Mondella, où le plaisir ne coûte rien, la jeunesse n'a rien à perdre. Tous ces grands yeux étonnés de ces petits polissons me réjouissent le cœur. — Voilà comme j'étais, humant l'air et cherchant les nouvelles. 35 Il paraît que la Nasi est une belle gaillarde, et que le Mar-

---

1. *Les :* les masques. L'enfant est si plein de son sujet qu'il ne les désigne que par ce pronom admiratif; 2. *Portefeuille :* son carton à dessin. La suite montre que c'est un apprenti peintre; 3. Le grand banquier, Jacques *Salviati*, qui n'a aucun rôle dans la pièce. Le sentiment de l'écolier est spécifiquement romantique. Cf. *Ruy Blas* (I, III, v. 307-310) :

... Et puis je suis de ceux
Qui passent tout un jour, pensifs et paresseux,
Devant quelque palais regorgeant de richesses
A regarder entrer et sortir des duchesses.

telli[1] est un heureux garçon. C'est une famille bien florentine celle-là! Quelle tournure ont tous ces grands seigneurs! J'avoue que ces fêtes-là me font plaisir à moi. On est dans son lit bien tranquille, avec un coin de ses rideaux retroussé; on regarde 40 de temps en temps les lumières qui vont et viennent dans le palais; on attrape un petit air de danse sans rien payer, et on se dit : Hé! hé! ce sont mes étoffes qui dansent, mes belles étoffes du bon Dieu, sur le cher corps de tous ces braves et loyaux seigneurs[2].

45 L'ORFÈVRE. — Il en danse plus d'une qui n'est pas payée, voisin; ce sont celles-là qu'on arrose de vin et qu'on frotte sur les murailles avec le moins de regret. Que les grands seigneurs s'amusent, c'est tout simple, — ils sont nés pour cela; mais il y a des amusements de plusieurs sortes, entendez-vous?

50 LE MARCHAND. — Oui, oui, comme la danse, le cheval, le jeu de paume et tant d'autres. Qu'entendez-vous vous-même, père Mondella?

L'ORFÈVRE. — Cela suffit. — Je me comprends[3]. — C'est-à-dire que les murailles de tous ces palais-là n'ont jamais mieux 55 prouvé leur solidité. Il leur fallait moins de force pour défendre les aïeux de l'eau du ciel qu'il ne leur en faut pour soutenir les fils quand ils sont trop pris de leur vin.

LE MARCHAND. — Un verre de vin est de bon conseil, père Mondella. Entrez donc dans ma boutique que je vous montre 60 une pièce de velours.

L'ORFÈVRE. — Oui, de bon conseil et de bonne mine, voisin; un bon verre de vin vieux a une bonne mine au bout d'un bras qui a sué pour le gagner; on le soulève gaiement d'un petit coup; et il s'en va donner du courage au cœur de l'honnête 65 homme qui travaille pour sa famille. Mais ce sont des tonneaux sans vergogne que tous ces godelureaux de la cour. A qui fait-on plaisir en s'abrutissant jusqu'à la bête féroce? A personne, pas même à soi, à Dieu encore moins.

LE MARCHAND. — Le carnaval[4] a été rude, il faut l'avouer; 70 et leur maudit ballon m'a gâté de la marchandise pour une

---

1. Guillaume *Martelli*, qui épouse la fille de Nasi; 2. Satire discrète, mais transparente, des négociants de la monarchie de Juillet; 3. C'est-à-dire que les seigneurs peuvent s'amuser entre eux, mais que le peuple est excédé de leur insolence; 4. Le *carnaval* était spécialement libre en Italie, bien que l'autorité ecclésiastique ait plusieurs fois cherché à l'interdire. Celui de Florence ne fait qu'imiter de très loin le célèbre carnaval de Venise.

cinquantaine de florins[1]. Dieu merci! les Strozzi l'ont payé.

L'ORFÈVRE. — Les Strozzi! Que le ciel confonde ceux qui ont osé porter la main sur leur neveu! Le plus brave homme de Florence, c'est Philippe Strozzi.

75 LE MARCHAND. — Cela n'empêche pas Pierre Strozzi d'avoir traîné son maudit ballon sur ma boutique et de m'avoir fait trois grandes taches dans une aune de velours brodé. A propos, père Mondella, nous verrons-nous à Montolivet[2]?

L'ORFÈVRE. — Ce n'est pas mon métier de suivre les foires; 80 j'irai cependant à Montolivet par piété. C'est un saint pèlerinage, voisin, et qui remet tous les péchés.

LE MARCHAND. — Et qui est tout à fait vénérable, voisin, et qui fait gagner les marchands plus que tous les autres jours de l'année. C'est plaisir de voir ces bonnes dames, sortant 85 de la messe, manier et examiner toutes les étoffes. Que Dieu conserve Son Altesse! La cour est une belle chose.

L'ORFÈVRE. — La cour! le peuple la porte sur le dos, voyez-vous. Florence était encore (il n'y a pas longtemps de cela) une bonne maison bien bâtie; tous ces grands palais, qui sont 90 les logements de nos grandes familles, en étaient les colonnes. Il n'y avait pas une de toutes ces colonnes qui dépassât les autres d'un pouce; elles soutenaient à elles toutes une vieille voûte bien cimentée, et nous nous promenions là-dessous sans crainte d'une pierre sur la tête. Mais il y a de par le monde 95 deux architectes malavisés qui ont gâté l'affaire; je vous le dis en confidence, c'est le pape et l'empereur Charles[3]. L'empereur a commencé par entrer par une assez bonne brèche dans la susdite maison. Après quoi, ils ont jugé à propos de prendre une des colonnes dont je vous parle, à savoir celle 100 de la famille Médicis, et d'en faire un clocher, lequel clocher a poussé comme un champignon de malheur dans l'espace d'une nuit. Et puis, savez-vous, voisin? comme l'édifice bran-

1. C'était l'usage au carnaval de traîner dans les rues un énorme ballon qui renversait les passants et les devantures; 2. *Montolivet :* lieu de kermesse et de pèlerinage. Un chroniqueur du temps dit que « chaque année tous les vendredis de mars, la Sainte Église romaine accorde pardon et indulgence plénière à quiconque visite l'église de San Miniato, habitée par les moines du mont Olivet »; 3. Voir Notice, p. 14. Voici en gros l'explication de cette parabole : les colonnes étaient les grandes familles de Florence, égales entre elles, qui soutenaient la Constitution. Le pape et Charles Quint se sont mêlés des affaires de Florence grâce à une brèche, la corruption. Ils ont mis les Médicis au-dessus des autres familles, comme un clocher. Devant la fragilité de l'édifice, ils ont été obligés de bâtir une citadelle qu'ils ont remplie de soldats allemands de Charles Quint. Cette citadelle existe encore sous le nom de « Fortezza da Basso ».

lait au vent, attendu qu'il avait la tête trop lourde et une jambe de moins, on a remplacé le pilier devenu clocher par
105 un gros pâté informe fait de boue et de crachat, et on a appelé cela la citadelle : les Allemands se sont installés dans ce maudit trou comme des rats dans un fromage; et il est bon de savoir que, tout en jouant aux dés et en buvant leur vin aigrelet[1], ils ont l'œil sur nous autres. Les familles florentines ont
110 beau crier, le peuple et les marchands ont beau dire, les Médicis gouvernent au moyen de leur garnison; ils nous dévorent comme une excroissance vénéneuse dévore un estomac malade; c'est en vertu des hallebardes qui se promènent sur la plate-forme qu'un bâtard, qu'une moitié de Médicis, un butor que le
115 ciel avait fait pour être garçon boucher ou valet de charrue[2], couche dans le lit de nos filles, boit nos bouteilles, casse nos vitres; et encore le paye-t-on pour cela.

LE MARCHAND. — Peste! peste! comme vous y allez! vous avez l'air de savoir tout cela par cœur; il ne ferait pas bon dire
120 cela dans toutes les oreilles, voisin Mondella.

L'ORFÈVRE. — Et quand on me bannirait comme tant d'autres! On vit à Rome[3] aussi bien qu'ici. Que le diable emporte la noce, ceux qui y dansent et ceux qui la font! *(Il rentre. Le marchand se mêle aux curieux. — Passe un bourgeois avec sa*
125 *femme.)*

LA FEMME. — Guillaume Martelli est un bel homme et riche. C'est un bonheur pour Nicolo Nasi d'avoir un gendre comme celui-là. Tiens! le bal dure encore. — Regarde donc toutes ces lumières.

130 LE BOURGEOIS. — Et nous, notre fille, quand la marierons-nous?

LA FEMME. — Comme tout est illuminé! danser encore à l'heure qu'il est, c'est là une jolie fête! — On dit que le duc y est.

135 LE BOURGEOIS. — Faire du jour la nuit et de la nuit le jour, c'est un moyen commode de ne pas voir les honnêtes gens. Une belle invention, ma foi, que des hallebardes à la porte

---

1. Le vin du Rhin; 2. Alexandre de Médicis était fils de Laurent d'Urbino (ou plus vraisemblablement de Clément VII) et d'une fille de salle; 3. Nous verrons plus loin (scène VI) que Rome est l'une des villes qui recueille les bannis, malgré l'alliance entre le pape et les Médicis.

d'une noce! Que le bon Dieu protège la ville! Il en sort tous les jours de nouveaux, de ces chiens d'Allemands, de leur 140 damnée forteresse.

LA FEMME. — Regarde donc le joli masque. Ah! la belle robe! Hélas! tout cela coûte très cher, et nous sommes bien pauvres à la maison. *(Ils sortent.)*

UN SOLDAT, *au marchand.* — Gare! canaille! laisse passer 145 les chevaux.

LE MARCHAND. — Canaille toi-même, Allemand du diable! *(Le soldat le frappe de sa pique.)*

LE MARCHAND, *se retirant.* — Voilà comme on suit la capitulation! Ces gredins-là maltraitent les citoyens. *(Il rentre chez* 150 *lui.)*

L'ÉCOLIER, *à son camarade.* — Vois-tu celui-là qui ôte son masque? C'est Palla Ruccellai[1]. Un fier luron! Ce petit-là à côté de lui, c'est Thomas Strozzi, Masaccio[2], comme on dit.

UN PAGE, *criant.* — Le cheval de Son Altesse!

155 LE SECOND ÉCOLIER. — Allons-nous-en, voilà le duc qui sort.

LE PREMIER ÉCOLIER. — Crois-tu qu'il va te manger? *(La foule augmente à la porte.)*

L'ÉCOLIER. — Celui-là, c'est Nicolini; celui-là, c'est le provéditeur[3]. *(Le duc sort, vêtu en religieuse[4] avec Julien Salviati,* 160 *habillé de même, tous deux masqués.)*

LE DUC, *montant à cheval.* — Viens-tu, Julien?

SALVIATI. — Non! Altesse, pas encore. *(Il lui parle à l'oreille.)*

LE DUC. — Bien, bien, ferme!

SALVIATI. — Elle est belle comme un démon. — Laissez-165 moi faire; si je peux me débarrasser de ma femme... *(Il rentre dans le bal.)*

LE DUC. — Tu es gris, Salviati; le diable m'emporte! tu vas de travers. *(Il part à sa suite.)*

L'ÉCOLIER. — Maintenant que voilà le duc parti, il n'y en 170 a pas pour longtemps. *(Les masques sortent de tous côtés.)*

---

1. *Ruccellai :* très ancienne famille qui comprit des gonfaloniers, des ambassadeurs, et surtout des poètes et des humanistes. La plupart d'entre eux avaient fini par se rallier aux Médicis; 2. *Masaccio :* diminutif de Thomas, un peu péjoratif, dû surtout à son aspect chétif; 3. *Provéditeur :* Roberto Corsini. Voir page 18, note 11; 4. Le fait est authentique.

LE SECOND ÉCOLIER. — Rose, vert, bleu, j'en ai plein les yeux, la tête me tourne.

UN BOURGEOIS. — Il paraît que le souper a duré longtemps : en voilà deux qui ne peuvent plus se tenir. *(Le provéditeur*
175 *monte à cheval ; une bouteille cassée lui tombe sur l'épaule.)*

LE PROVÉDITEUR. — Eh! ventrebleu! quel est l'assommeur, ici?

UN MASQUE. — Eh! ne le voyez-vous pas, seigneur Corsini! Tenez! regardez à la fenêtre; c'est Lorenzo avec sa robe de
180 nonne.

LE PROVÉDITEUR. — Lorenzaccio, le diable soit de toi! tu as blessé mon cheval. *(La fenêtre se ferme.)* Peste soit de l'ivrogne et de ses farces silencieuses! un gredin qui n'a pas souri trois fois dans sa vie, et qui passe le temps à des espiè-
185 gleries d'écolier en vacances! *(Il part. — Louise Strozzi sort de la maison, accompagnée de Julien Salviati ; il lui tient l'étrier. Elle monte à cheval ; un écuyer et une gouvernante la suivent.)*

SALVIATI. — La jolie jambe, chère fille! Tu es un rayon de soleil, et tu as brûlé la moelle de mes os.

190 LOUISE. — Seigneur, ce n'est pas là le langage d'un cavalier.

SALVIATI. — Quels yeux tu as, mon cher cœur! Le joli pied à déchausser!

LOUISE. — Lâche mon pied, Salviati.

SALVIATI. — Non, par le corps de Bacchus[1]! *(Louise frappe*
195 *son cheval et part au galop.)*

UN MASQUE, *à Salviati.* — La petite Strozzi s'en va rouge comme la braise. — Vous l'avez fâchée, Salviati.

SALVIATI. — Baste! colère de jeune fille et pluie du matin... *(Il sort.)*

1. C'est le juron italien *Per Bacco!*

QUESTIONS

● SCÈNE II. — Étudiez la couleur locale de la scène.

— Quel est le rôle dans la pièce des personnages populaires? — Ces personnages sont-ils vraisemblables, sont-ils bien choisis? — Dans quelle mesure sont-ils symboliques?

— La composition du grand discours de l'orfèvre (page 17); sa vraisemblance et son utilité; étudiez-en les images.

— Les différences d'opinion entre le marchand et l'orfèvre : quelle actualité prennent-elles pour le lecteur de 1834?

SCÈNE III.

Chez le marquis Cibo.

LE MARQUIS, *en habit de voyage*, LA MARQUISE, ASCANIO, LE CARDINAL CIBO, *assis*.

LE MARQUIS, *embrassant son fils.* — Je voudrais pouvoir t'emmener, petit, toi et la grande épée qui te traîne entre les jambes. Prends patience : Massa[1] n'est pas bien loin, et je t'apporterai un bon cadeau.

LA MARQUISE. — Adieu, Laurent; revenez, revenez!

LE CARDINAL. — Marquise, voilà des pleurs qui sont de trop. Ne dirait-on pas que mon frère part pour la Palestine? Il ne court pas grand danger dans ses terres, je crois.

LE MARQUIS. — Mon frère, ne dites pas de mal de ces belles larmes. *(Il embrasse sa femme.)*

LE CARDINAL. — Je voudrais seulement que l'honnêteté n'eût pas cette apparence[2].

LA MARQUISE. — L'honnêteté n'a-t-elle point de larmes, monsieur le cardinal? sont-elles toutes au repentir ou à la crainte?

LE MARQUIS. — Non, par le ciel! car les meilleures sont à l'amour. N'essuyez pas celles-ci sur mon visage, le vent s'en chargera en route : qu'elles se sèchent lentement! Eh bien! ma chère, vous ne me dites rien pour vos favoris? n'emporterai-je pas, comme de coutume, quelque belle harangue sentimentale à faire de votre part aux roches et aux cascades de mon vieux patrimoine?

LA MARQUISE. — Ah! mes pauvres cascatelles!

LE MARQUIS. — C'est la vérité, ma chère âme, elles sont toutes tristes sans vous. *(Plus bas.)* Elles ont été joyeuses autrefois, n'est-il pas vrai, Ricciarda?

LA MARQUISE. — Emmenez-moi!

LE MARQUIS. — Je le ferais si j'étais fou, et je le suis presque, avec ma vieille mine de soldat. N'en parlons plus; — ce sera l'affaire d'une semaine. Que ma chère Ricciarda voie ses

1. *Massa* (Massa-Carara), à 95 km au nord-ouest de Florence. Le voyage du marquis et son retour à la fin de la pièce semblent indiquer que le drame se passe à peu près en une semaine. C'est presque la seule indication de Musset sur cette question qui semble ne pas l'avoir beaucoup préoccupé; 2. *Apparence* : ici, caractère apparent.

jardins quand ils sont tranquilles et solitaires; les pieds boueux de mes fermiers ne laisseront pas de trace dans ses allées chéries. C'est à moi de compter mes vieux troncs d'arbres qui me rappellent ton père Albéric et tous les brins d'herbe de 35 mes bois; les métayers et leurs bœufs, tout cela me regarde. A la première fleur que je verrai pousser, je mets tout à la porte, et je vous emmène alors.

LA MARQUISE. — La première fleur de notre belle pelouse m'est toujours chère. L'hiver est si long! Il me semble toujours 40 que ces pauvres petites ne reviendront jamais.

ASCANIO. — Quel cheval as-tu, mon père, pour t'en aller?

LE MARQUIS. — Viens avec moi dans la cour, tu le verras. *(Il sort. — La marquise reste seule avec le cardinal. — Un silence.)*

LE CARDINAL. — N'est-ce pas aujourd'hui que vous m'avez demandé d'entendre votre confession, marquise?

45 LA MARQUISE. — Dispensez-m'en, cardinal. Ce sera pour ce soir, si Votre Éminence est libre, ou demain, comme elle voudra. — Ce moment-ci n'est pas à moi. *(Elle se met à la fenêtre et fait un signe d'adieu à son mari.)*

LE CARDINAL. — Si les regrets étaient permis à un fidèle ser-50 viteur de Dieu, j'envierais le sort de mon frère. — Un si court voyage, si simple, si tranquille! une visite à une de ses terres qui n'est qu'à quelques pas d'ici! — une absence d'une semaine, — et tant de tristesse, une si douce tristesse, veux-je dire, à son départ! Heureux celui qui sait se faire aimer ainsi après sept 55 années de mariage! N'est-ce pas sept années, marquise?

LA MARQUISE. — Oui, cardinal; mon fils a six ans.

LE CARDINAL. — Étiez-vous hier à la noce des Nasi?

LA MARQUISE. — Oui, j'y étais.

LE CARDINAL. — Et le duc en religieuse?

60 LA MARQUISE. — Pourquoi le duc en religieuse?

LE CARDINAL. — On m'avait dit qu'il avait pris ce costume, il se peut qu'on m'ait trompé.

LA MARQUISE. — Il l'avait en effet. Ah! Malaspina, nous sommes dans un triste temps pour toutes les choses saintes!

65 LE CARDINAL. — On peut respecter les choses saintes et, dans un jour de folie, prendre le costume de certains couvents,

Acte premier

Sc. 1. un jardin — clair de lune ; un pavillon dans le fond, un autre sur le devant.

Entrent Le Duc et Lorenzo couverts de leurs manteaux ; Giomo une lanterne à la main.

Le Duc. Qu'elle se fasse attendre encor un quart d'heure, et je m'en vais. Il fait un froid de tous les diables.

Lorenzo
patience, altesse — patience.

Le Duc. elle devait sortir de chez sa mère à minuit. il est minuit, et elle ne vient pourtant pas.

Lorenzo
Si elle ne vient pas, dites que je suis un sot, et que la vieille mère est une honnête femme.

Le Duc.
Entrailles du pape, avec tout cela je suis volé d'un millier de ducats.

Lorenzo
Nous n'avons avancé que moitié ; Je réponds de la petite ; friande ! deux grands yeux languissants, cela ne trompe pas. Quoi de plus curieux pour le connaisseur que la débauche à la mamelle ! Voir dans un enfant de quinze ans la rouée à venir ; étudier, ensemencer, infiltrer paternellement le filon mystérieux du vice dans un conseil d'ami, dans une caresse au menton, — tout dire et ne rien dire, selon le caractère des parents, — habituer doucement l'imagination qui se développe à donner des corps à ses fantômes, à toucher ce qui l'effraye, à mépriser ce qui la protège ! cela va plus vite qu'on ne pense, le vrai mérite est de frapper juste ; et quel trésor que celle-ci ! tout ce qui peut faire passer une nuit délicieuse à votre altesse ! tant de pudeur !

Phot. Giraudon.

PREMIÈRE PAGE DU MANUSCRIT DE *LORENZACCIO*

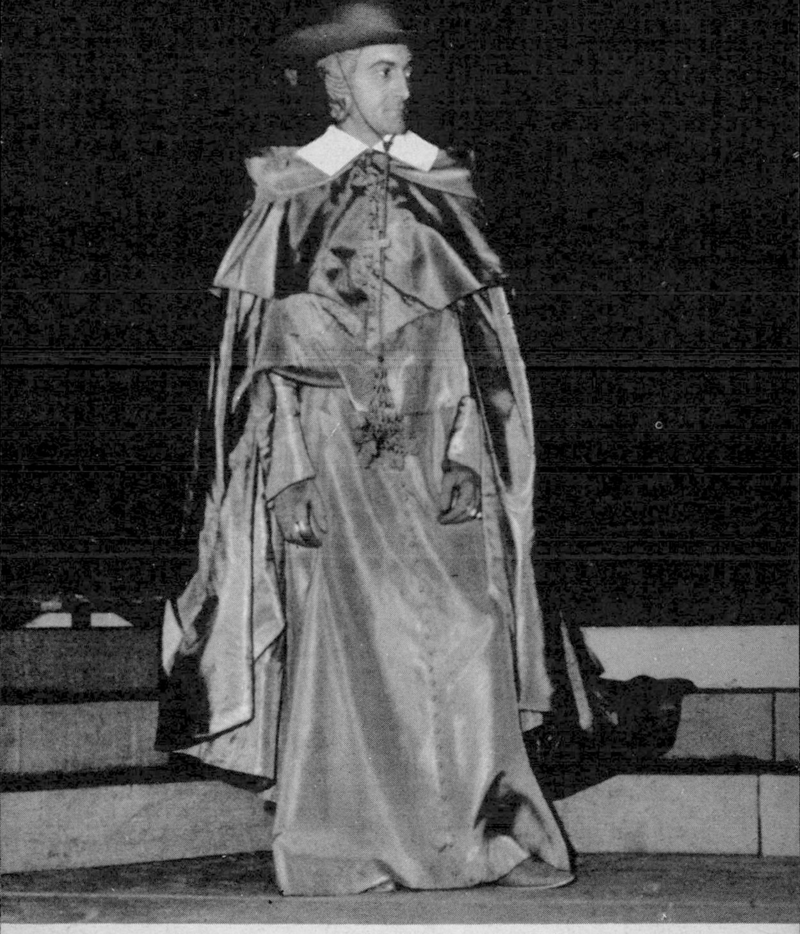

Phot. Larousse.

« C'est bien fort! c'est bien fort! » (Acte premier, scène IV, page 38.)

JEAN VILAR DANS LE RÔLE DU CARDINAL CIBO

Théâtre national populaire (1953).

sans aucune intention hostile à la sainte Église catholique.

LA MARQUISE. — L'exemple est à craindre et non l'intention. Je ne suis pas comme vous; cela m'a révoltée. Il est vrai que
70 je ne sais pas bien ce qui se peut et ce qui ne se peut pas, selon vos règles mystérieuses. Dieu sait où elles mènent! Ceux qui mettent les mots sur leur enclume[1], et qui les tordent avec un marteau et une lime, ne réfléchissent pas toujours que ces mots représentent des pensées, et ces pensées des actions.

75 LE CARDINAL. — Bon, bon! le duc est jeune, marquise, et gageons que cet habit coquet des nonnes lui allait à ravir.

LA MARQUISE. — On ne peut mieux; il n'y manquait que quelques gouttes de sang de son cousin, Hippolyte[2] de Médicis.

LE CARDINAL. — Et le bonnet de la Liberté, n'est-il pas vrai,
80 petite sœur? Quelle haine pour ce pauvre duc!

LA MARQUISE. — Et vous, son bras droit, cela vous est égal que le duc de Florence soit le préfet de Charles Quint[3], le commissaire civil du pape, comme Baccio est son commissaire religieux[4]? Cela vous est égal, à vous, frère de mon Lau-
85 rent, que notre soleil, à nous, promène sur la citadelle des ombres allemandes? que César parle ici dans toutes les bouches? Ah! le clergé sonnerait au besoin toutes ses cloches pour en étouffer le bruit et pour réveiller l'aigle impérial, s'il s'endormait sur nos pauvres toits. *(Elle sort.)*

90 LE CARDINAL, *seul, soulève la tapisserie et appelle à voix basse.* — Agnolo *(Entre un page.)* Quoi de nouveau aujourd'hui?

AGNOLO. — Cette lettre, monseigneur.

LE CARDINAL. — Donne-la-moi.

95 AGNOLO. — Hélas! Éminence, c'est un péché.

LE CARDINAL. — Rien n'est un péché quand on obéit à un prêtre de l'Église romaine. *(Agnolo remet la lettre.)* Cela est comique d'entendre les fureurs de cette pauvre marquise et de la voir courir à un rendez-vous d'amour avec le cher tyran,
100 toute baignée de larmes républicaines. *(Il ouvre la lettre et lit.)* « Ou vous serez à moi, ou vous aurez fait mon malheur, le vôtre et celui de nos deux maisons. » Le style du duc est laco-

---

1. Allusion aux subtilités des casuistes; 2. *Hippolyte*, cardinal de Médicis, dangereux pour Alexandre parce qu'il partageait avec lui la faveur pontificale et qu'il était populaire parmi les rebelles. Empoisonné par ses soins en 1534; 3. Voir Notice, p. 14; 4. *Baccio Valori :* commissaire apostolique qui représentait à Florence les intérêts du pape.

nique, mais il ne manque pas d'énergie. Que la marquise soit convaincue ou non, voilà le difficile à savoir. Deux mois de
105 cour presque assidue, c'est beaucoup pour Alexandre; ce doit être assez pour Ricciarda Cibo. *(Il rend la lettre au page.)* Remets cela chez ta maîtresse, tu es toujours muet, n'est-ce pas? Compte sur moi. *(Il lui donne sa main à baiser et sort.)*

SCÈNE IV.

Une cour du palais du duc.

LE DUC ALEXANDRE *sur une terrasse; des pages exercent des chevaux dans la cour. Entrent* VALORI *et* SIRE MAURICE.

LE DUC, *à Valori.* — Votre Éminence a-t-elle reçu ce matin des nouvelles de la cour de Rome?

VALORI. — Paul III[1] envoie mille bénédictions à Votre Altesse et fait les vœux les plus ardents pour sa prospérité.

5 LE DUC. — Rien que des vœux, Valori?

VALORI. — Sa Sainteté craint que le duc ne se crée de nouveaux dangers par trop d'indulgence. Le peuple est mal habitué à la domination absolue; et César[2], à son dernier voyage, en a dit autant, je crois, à Votre Altesse.

10 LE DUC. — Voilà, pardieu, un beau cheval, sire Maurice! Eh! quelle croupe de diable!

SIRE MAURICE. — Superbe, Altesse.

LE DUC. — Ainsi, monsieur le commissaire apostolique, il y a encore quelques mauvaises branches à élaguer[3]. César et
15 le pape ont fait de moi un roi; mais, par Bacchus, ils m'ont mis dans la main une espèce de sceptre qui sent la hache d'une lieue. Allons! voyons, Valori, qu'est-ce que c'est?

1. *Paul III* Farnèse (pape de 1534 à 1549) descendait d'une famille traditionnellement ennemie des Médicis. Par la semonce pontificale qui suit, le pape désire surtout humilier un rival et ne lui laisser oublier en rien à qui il doit son duché. George Sand avait commis un anachronisme pour laisser vivre Clément VII jusqu'en 1537; Musset rétablit la vérité historique; 2. *César :* Charles Quint; 3. C'est-à-dire les grandes familles trop indépendantes.

QUESTIONS

● SCÈNE III. — Le contraste visuel entre les scènes II et III.
— Le caractère du cardinal Cibo. Est-il jaloux du bonheur de son frère?
— Par-delà le cardinal Cibo, la scène contient-elle des attaques contre l'Église en général? Citez dans les œuvres romantiques aux environs de 1830 d'autres figures d'hommes d'Église antipathiques.
— Comparez le caractère de la marquise à celui de Barberine, dans la pièce de Musset qui porte ce titre.

VALORI. — Je suis un prêtre, Altesse; si les paroles que mon devoir me force à vous rapporter fidèlement doivent être inter-
20 prétées d'une manière aussi sévère, mon cœur me défend d'y ajouter un mot.

LE DUC. — Oui, oui, je vous connais pour un brave. Vous êtes, pardieu, le seul prêtre honnête homme que j'aie vu de ma vie.

25 VALORI. — Monseigneur, l'honnêteté ne se perd ni ne se gagne sous aucun habit; et parmi les hommes il y a plus de bons que de méchants.

LE DUC. — Ainsi donc point d'explications?

SIRE MAURICE. — Voulez-vous que je parle, monseigneur?
30 tout est facile à expliquer.

LE DUC. — Eh bien?

SIRE MAURICE. — Les désordres de la cour irritent le pape.

LE DUC. — Que dis-tu là, toi?

SIRE MAURICE. — J'ai dit les désordres de la cour, Altesse;
35 les actions du duc n'ont d'autre juge que lui-même. C'est Lorenzo de Médicis que le pape réclame comme transfuge de sa justice.

LE DUC. — De sa justice? Il n'a jamais offensé de pape, à ma connaissance, que Clément VII, feu mon cousin, qui, à
40 cette heure, est en enfer.

SIRE MAURICE. — Clément VII a laissé sortir de ses États le libertin qui, un jour d'ivresse, avait décapité les statues de l'arc de Constantin[1]. Paul III ne saurait pardonner au modèle titré de la débauche florentine.

45 LE DUC. — Ah parbleu! Alexandre Farnèse est un plaisant garçon! Si la débauche l'effarouche, que diable fait-il de son bâtard, le cher Pierre Farnèse[2], qui traite si joliment l'évêque de Fano[3]? Cette mutilation revient toujours sur l'eau, à propos de ce pauvre Renzo. Moi, je trouve cela drôle, d'avoir
50 coupé la tête à tous ces hommes de pierre. Je protège les arts

---

1. *L'arc de Constantin* avait été composé de morceaux enlevés à l'arc de Trajan sans discernement. Il comprenait des statues de rois barbares brisées qui furent restaurées en 1498. Ce furent les têtes restaurées des rois qui furent abattues par Lorenzo en 1534. Clément VII le fit expulser de ses États; 2. *Pierre Farnèse* (1490-1537), fils de Paul III, fut gouverneur de Parme et de Plaisance; il se signala par ses débauches et ses cruautés, et fut assassiné; 3. *Fano :* ville sur l'Adriatique, entre Pesaro et Ancône; cet évêque de Fano, lié aux débauches de Pierre Farnèse, sera cité également par la marquise Cibo (II, III, page 57).

comme un autre, et j'ai chez moi les premiers artistes de l'Italie[1]; mais je n'entends rien au respect du pape pour ces statues qu'il excommunierait demain, si elles étaient en chair et en os[2].

SIRE MAURICE. — Lorenzo est un athée; il se moque de tout.
55 Si le gouvernement de Votre Altesse n'est pas entouré d'un profond respect, il ne saurait être solide. Le peuple appelle Lorenzo Lorenzaccio[3], on sait qu'il dirige vos plaisirs, et cela suffit.

LE DUC. — Paix! tu oublies que Lorenzo de Médicis est
60 cousin d'Alexandre. *(Entre le cardinal Cibo.)* Cardinal, écoutez un peu ces messieurs qui disent que le pape est scandalisé des désordres de ce pauvre Renzo, et qui prétendent que cela fait tort à mon gouvernement.

LE CARDINAL. — Messire Francesco Molza vient de débiter
65 à l'Académie romaine[4] une harangue en latin contre le mutilateur de l'arc de Constantin.

LE DUC. — Allons donc, vous me mettriez en colère! Renzo, un homme à craindre! le plus fieffé poltron! une femmelette, l'ombre d'un ruffian énervé! un rêveur qui marche nuit et
70 jour sans épée, de peur d'en apercevoir l'ombre à son côté! d'ailleurs un philosophe, un gratteur de papier[5], un méchant poète qui ne sait seulement pas faire un sonnet! Non, non, je n'ai pas peur des ombres. Eh! corps de Bacchus! que me font les discours latins et les quolibets[6] de ma canaille! J'aime
75 Lorenzo, moi, et, par la mort de Dieu! il restera ici.

LE CARDINAL. — Si je craignais cet homme, ce ne serait pas pour votre cour, ni pour Florence, mais pour vous, duc.

LE DUC. — Plaisantez-vous, cardinal, et voulez-vous que je vous dise la vérité? *(Il lui parle bas.)* Tout ce que je sais
80 de ces damnés bannis, de tous ces républicains entêtés qui complotent autour de moi, c'est par Lorenzo que je le sais. Il est glissant comme une anguille; il se fourre partout et me dit tout. N'a-t-il pas trouvé moyen d'établir une correspondance avec tous ces Strozzi de l'enfer? Oui, certes, c'est mon entre-
85 metteur; mais croyez que son entremise, si elle nuit à quel-

---

1. Notamment le graveur Benvenuto Cellini (voir page 39, ligne 28), à qui il commandait des monnaies et des médailles à son effigie; 2. Parce que ce sont des rois barbares; 3. C'est-à-dire « le mauvais Laurent ». Diminutif méprisant plutôt que haineux; 4. *Francesco Molza*, humaniste (1489-1544), accusait notamment Laurent, dans cette harangue qui nous est conservée, d'avoir cambriolé l'église Saint-Paul et d'avoir emporté les têtes des muses qui se trouvaient sur un sarcophage; 5. Lorenzo avait fait représenter en 1526 une comédie pleine de talent, *Arridosio ;* 6. *Quolibets :* propos trop libres, pas nécessairement plaisanteries.

qu'un, ne me nuira pas. Tenez! *(Lorenzo paraît au fond d'une galerie basse.)* Regardez-moi ce petit corps maigre, ce lendemain d'orgie ambulant. Regardez-moi ces yeux plombés, ces mains fluettes et maladives à peine assez fermes pour sou-
90 tenir un éventail; ce visage morne, qui sourit quelquefois, mais qui n'a pas la force de rire[1]. C'est là un homme à craindre? Allons, allons! vous vous moquez de lui. Hé! Renzo, viens donc ici; voilà sire Maurice qui te cherche dispute.

LORENZO, *montant l'escalier de la terrasse.* — Bonjour,
95 messieurs les amis de mon cousin!

LE DUC. — Lorenzo, écoute ici. Voilà une heure que nous parlons de toi. Sais-tu la nouvelle? Mon ami, on t'excommunie en latin, et sire Maurice t'appelle un homme dangereux, le cardinal aussi; quant au bon Valori, il est trop honnête[2]
100 pour prononcer ton nom.

LORENZO. — Pour qui dangereux, Éminence?

LE CARDINAL. — Les chiens de cour peuvent être pris de la rage comme les autres chiens[3].

LORENZO. — Une insulte de prêtre doit se faire en latin.

105 SIRE MAURICE. — Il s'en fait en toscan, auxquelles on peut répondre.

LORENZO. — Sire Maurice, je ne vous voyais pas; excusez-moi, j'avais le soleil dans les yeux; mais vous avez bon visage et votre habit me paraît tout neuf.

110 SIRE MAURICE. — Comme votre esprit; je l'ai fait faire d'un vieux pourpoint de mon grand-père[4].

LORENZO. — Cousin, quand vous aurez assez de quelque conquête des faubourgs, envoyez-la donc chez sire Maurice. Il est malsain de vivre sans femme, pour un homme qui a,
115 comme lui, le cou court et les mains velues.

SIRE MAURICE. — Celui qui se croit le droit de plaisanter doit savoir se défendre. A votre place, je prendrais une épée.

LORENZO. — Si l'on vous a dit que j'étais un soldat, c'est une erreur; je suis un pauvre amant de la science.

---

1. Le portrait est exact d'après une médaille vénitienne. Néanmoins, Musset pense surtout à lui-même; 2. *Honnête :* pudique; 3. Le cardinal n'est pas dupe de la feinte lâcheté de Lorenzo. Il prévoit le dénouement à mots couverts; 4. L'esprit de Lorenzo serait donc un pâle reflet de celui de son grand-père, Laurent le Populaire, seigneur particulièrement brillant, qui fut ambassadeur auprès du pape et de Charles VIII.

120 SIRE MAURICE. — Votre esprit est une épée acérée, mais flexible. C'est une arme trop vile; chacun fait usage des siennes. *(Il tire son épée.)*

VALORI. — Devant le duc, l'épée nue!

LE DUC, *riant.* — Laissez faire, laissez faire. Allons, Renzo, 125 je veux te servir de témoin; qu'on lui donne une épée!

LORENZO. — Monseigneur, que dites-vous là?

LE DUC. — Eh bien! ta gaieté s'évanouit si vite? Tu trembles, cousin? Fi donc! tu fais honte au nom de Médicis. Je ne suis qu'un bâtard, et je le porterais mieux que toi, qui es légitime[1]! 130 Une épée, une épée! un Médicis ne se laisse point provoquer ainsi. Pages, montez ici; toute la cour le verra, et je voudrais que Florence entière y fût.

LORENZO. — Son Altesse se rit de moi.

LE DUC. — J'ai ri tout à l'heure, mais maintenant je rougis 135 de honte. Une épée! *(Il prend l'épée d'un page et la présente à Lorenzo.)*

VALORI. — Monseigneur, c'est pousser trop loin les choses. Une épée tirée en présence de Votre Altesse est un crime punissable dans l'intérieur du palais.

140 LE DUC. — Qui parle ici quand je parle?

VALORI. — Votre Altesse ne peut avoir eu d'autre dessein que celui de s'égayer un instant, et sire Maurice lui-même n'a point agi dans une autre pensée.

LE DUC. — Et vous ne voyez pas que je plaisante encore! 145 Qui diable pense ici à une affaire sérieuse? Regardez Renzo, je vous en prie : ses genoux tremblent; il serait devenu pâle, s'il pouvait le devenir. Quelle contenance, juste Dieu! Je crois qu'il va tomber. *(Lorenzo chancelle; il s'appuie sur la balustrade et glisse à terre tout d'un coup.)*

150 LE DUC, *riant aux éclats.* — Quand je vous le disais! personne ne le sait mieux que moi; la seule vue d'une épée le fait trouver mal. Allons! chère Lorenzetta, fais-toi emporter chez ta mère. *(Les pages relèvent Lorenzo.)*

SIRE MAURICE. — Double poltron! fils de catin!

155 LE DUC. — Silence! sire Maurice; pesez vos paroles, c'est

1. Voir Notice, page 14. Lorenzo appartenait toutefois à la branche cadette.

moi qui vous le dis maintenant : pas de ces mots-là devant moi.

VALORI. — Pauvre jeune homme! *(Sire Maurice et Valori sortent.)*

LE CARDINAL, *resté seul avec le duc.* — Vous croyez à cela,
160 monseigneur?

LE DUC. — Je voudrais bien savoir comment je n'y croirais pas.

LE CARDINAL. — Hum! c'est bien fort.

LE DUC. — C'est justement pour cela que j'y crois. Vous figurez-vous qu'un Médicis se déshonore publiquement, par
165 partie de plaisir? D'ailleurs ce n'est pas la première fois que cela lui arrive; jamais il n'a pu voir une épée.

LE CARDINAL. — C'est bien fort! c'est bien fort[1]! *(Ils sortent.)*

SCÈNE V.

Devant l'église de Saint-Miniato à Montolivet[2].
La foule sort de l'église.

UNE FEMME, *à sa voisine.* — Retournez-vous ce soir à Florence?

LA VOISINE. — Je ne reste jamais plus d'une heure ici, et je n'y viens jamais qu'un seul vendredi; je ne suis pas assez riche pour m'arrêter à la foire; ce n'est pour moi qu'une
5 affaire de dévotion, et que cela suffise pour mon salut, c'est tout ce qu'il me faut.

UNE DAME DE LA COUR, *à une autre.* — Comme il a bien prêché! c'est le confesseur de ma fille. *(Elle s'approche d'une*

1. La scène est authentique. George Sand avait voulu la placer au début de la pièce. Musset a pensé avec juste raison que le public serait dupe du subterfuge s'il n'était pas préparé à le comprendre. Pour la même raison, la scène se termine sur une réplique incrédule du cardinal; 2. Voir page 26, note 2. Il faut se représenter un vaste champ de foire avec des étalages en plein vent.

QUESTIONS

● SCÈNE IV. — Étudiez la composition de l'épisode : comment l'entrée en scène de Lorenzo est-elle préparée?

— Comment Musset s'y est-il pris pour que nous ne nous trompions pas sur la feinte lâcheté de Lorenzaccio?

— Le personnage du duc : que pensez-vous de son intelligence? de sa grossièreté? de ses sentiments à l'égard de Lorenzaccio?

— Comment la scène contribue-t-elle à nous mettre dans l'atmosphère voulue?

— Comparez cette scène à la première scène d'*Une conspiration en 1537* de George Sand (voir Document, page 145).

boutique.) Blanc et or, cela fait bien le soir; mais le jour, le
10 moyen d'être propre avec cela?

(Le marchand et l'orfèvre devant leurs boutiques avec quelques cavaliers.)

L'ORFÈVRE. — La citadelle[1]! voilà ce que le peuple ne souffrira jamais, voir tout d'un coup s'élever sur la ville cette nouvelle tour de Babel, au milieu du plus maudit baragouin; les Allemands ne pousseront jamais à Florence, et, pour les
15 y greffer, il faudra un vigoureux lien.

LE MARCHAND. — Voyez, mesdames; que Vos Seigneuries acceptent un tabouret sous mon auvent.

UN CAVALIER. — Tu es du vieux sang florentin, père Mondella; la haine de la tyrannie fait encore trembler tes doigts
20 sur des ciselures précieuses, au fond de ton cabinet de travail.

L'ORFÈVRE. — C'est vrai, Excellence. Si j'étais un grand artiste, j'aimerais les princes, parce qu'eux seuls peuvent faire entreprendre de grands travaux; les grands artistes n'ont pas de patrie; moi, je fais des saints ciboires et des poignées d'épée[2].

25 UN AUTRE CAVALIER. — A propos d'artiste, ne voyez-vous pas, dans ce petit cabaret, ce grand gaillard qui gesticule devant des badauds? Il frappe son verre sur la table; si je ne me trompe, c'est ce hâbleur de Cellini[3].

LE PREMIER CAVALIER. — Allons-y donc, et entrons; avec
30 un verre de vin dans la tête, il est curieux à entendre, et probablement quelque bonne histoire est en train. *(Ils sortent. — Deux bourgeois s'assoient.)*

PREMIER BOURGEOIS. — Il y a eu une émeute à Florence?

DEUXIÈME BOURGEOIS. — Presque rien. — Quelques pauvres
35 jeunes gens ont été tués sur le Vieux-Marché.

PREMIER BOURGEOIS. — Quelle pitié pour les familles!

DEUXIÈME BOURGEOIS. — Voilà des malheurs inévitables. Que voulez-vous que fasse la jeunesse d'un gouvernement comme le nôtre? On vient crier à son de trompe que César
40 est à Bologne[4], et les badauds répètent : « César est à Bologne »,

---

1. *Citadelle :* voir page 26, note 3; 2. Il est donc tout acquis à la papauté et à l'Empereur; 3. *Benvenuto Cellini*, ciseleur réputé (1500-1571), médailliste attitré d'Alexandre, célèbre pour son grand talent et ses extravagances; 4. En mai 1527, les Florentins avaient chassé les Médicis. Le pape s'allia avec Charles Quint pour imposer Alexandre. L'armée se concentra à Bologne et fit le siège de Florence, qui céda bientôt à cause des dissenssions et des trahisons.

en clignant des yeux d'un air d'importance, sans réfléchir à ce qu'on y fait. Le jour suivant, ils sont plus heureux encore d'apprendre et de répéter : « Le pape est à Bologne avec César. » Que s'ensuit-il? Une réjouissance publique, ils n'en voient pas
45 davantage; et puis un beau matin ils se réveillent tout engourdis des fumées du vin impérial, et ils voient une figure sinistre à la grande fenêtre du palais des Pazzi. Ils demandent quel est ce personnage, on leur répond que c'est le roi[1]. Le pape et l'empereur sont accouchés d'un bâtard qui a le droit de vie et de
50 mort sur nos enfants, et qui ne pourrait pas nommer sa mère.

L'ORFÈVRE, *s'approchant.* — Vous parlez en patriote, ami; je vous conseille de prendre garde à ce flandrin. *(Passe un officier allemand.)*

L'OFFICIER. — Otez-vous de là, messieurs; des dames veulent
55 s'asseoir. *(Deux dames de la cour entrent et s'assoient.)*

PREMIÈRE DAME. — Cela est de Venise[2]?

LE MARCHAND. — Oui, magnifique Seigneurie, vous en lèverai-je quelques aunes?

PREMIÈRE DAME. — Si tu veux. J'ai cru voir passer Julien
60 Salviati.

L'OFFICIER. — Il va et vient à la porte de l'église; c'est un galant.

DEUXIÈME DAME. — C'est un insolent! Montrez-moi des bas de soie.

65 L'OFFICIER. — Il n'y en aura pas d'assez petits pour vous.

PREMIÈRE DAME. — Laissez donc, vous ne savez que dire. Puisque vous voyez Julien, allez lui dire que j'ai à lui parler.

L'OFFICIER. — J'y vais et je le ramène. *(Il sort.)*

PREMIÈRE DAME. — Il est bête à faire plaisir, ton officier;
70 que peux-tu faire de cela?

DEUXIÈME DAME. — Tu sauras qu'il n'y a rien de mieux que cet homme-là. *(Elles s'éloignent. — Entre le prieur de Capoue.)*

LE PRIEUR. — Donnez-moi un verre de limonade, brave homme. *(Il s'assoit.)*

---

1. On a remarqué à très juste titre dans cette tirade des réminiscences de la *première Philippique* de Démosthène. L'orateur reproche en termes analogues aux Athéniens d'épiloguer sur les faits et gestes de Philippe de Macédoine, mais de ne prendre aucune mesure contre lui; 2. La célèbre dentelle au point de Venise.

75 UN DES BOURGEOIS. — Voilà le prieur de Capoue[1]; c'est là un patriote! *(Les deux bourgeois se rassoient.)*

LE PRIEUR. — Vous venez de l'église, messieurs? que dites-vous du sermon?

LE BOURGEOIS. — Il était beau, seigneur prieur.

80 DEUXIÈME BOURGEOIS, *à l'orfèvre.* — Cette noblesse des Strozzi[2] est chère au peuple, parce qu'elle n'est pas fière. N'est-il pas agréable de voir un grand seigneur adresser librement la parole à ses voisins d'une manière affable? Tout cela fait plus qu'on ne pense.

85 LE PRIEUR. — S'il faut parler franchement, j'ai trouvé le sermon trop beau; j'ai prêché quelquefois, et je n'ai jamais tiré grande gloire du tremblement des vitres; mais une petite larme sur la joue d'un brave homme m'a toujours été d'un grand prix. *(Entre Salviati.)*

90 SALVIATI. — On m'a dit qu'il y avait ici des femmes qui me demandaient tout à l'heure; mais je ne vois de robe ici que la vôtre, prieur. Est-ce que je me trompe?

LE MARCHAND. — Excellence, on ne vous a pas trompé. Elles se sont éloignées; mais je pense qu'elles vont revenir.
95 Voilà dix aunes d'étoffe et quatre paires de bas pour elles.

SALVIATI, *s'asseyant.* — Voilà une jolie femme qui passe. — Où diable l'ai-je donc vue? — Ah! parbleu, c'est dans mon lit.

LE PRIEUR, *au bourgeois.* — Je crois avoir vu votre signature
100 sur une lettre adressée au duc.

LE BOURGEOIS. — Je le dis tout haut; c'est la supplique adressée par les bannis[3].

LE PRIEUR. — En avez-vous dans votre famille?

LE BOURGEOIS. — Deux, Excellence : mon père et mon oncle;
105 il n'y a plus que moi d'homme à la maison.

LE DEUXIÈME BOURGEOIS, *à l'orfèvre.* — Comme ce Salviati a une méchante langue!

---

1. Léon Strozzi; 2. La famille des Strozzi s'appuyait sur la bourgeoisie pour renverser Alexandre de Médicis. Musset pense certainement à Louis-Philippe et à la simplicité un peu affectée de ses manières; 3. Alexandre avait banni un peu au hasard les Florentins suspects d'avoir contribué à la révolte de 1527.

L'ORFÈVRE. — Cela n'est pas étonnant : un homme à moitié ruiné, vivant des générosités de ces Médicis et marié comme
110 il l'est à une femme déshonorée[1] partout! Il voudrait qu'on dît de toutes les femmes ce qu'on dit de la sienne.

SALVIATI. — N'est-ce pas Louise Strozzi qui passe sur ce tertre?

LE MARCHAND. — Elle-même, Seigneurie. Peu des dames de
115 notre noblesse me sont inconnues. Si je ne me trompe, elle donne la main à sa sœur cadette.

SALVIATI. — J'ai rencontré cette Louise la nuit dernière au bal des Nasi; elle a, ma foi, une jolie jambe, et nous devons coucher ensemble au premier jour.

120 LE PRIEUR, *se retournant.* — Comment l'entendez-vous?

SALVIATI. — Cela est clair, elle me l'a dit. Je lui tenais l'étrier, ne pensant guère à malice; je ne sais par quelle distraction je lui pris la jambe, et voilà comment tout est venu.

LE PRIEUR. — Julien, je ne sais pas si tu sais que c'est de ma
125 sœur que tu parles.

SALVIATI. — Je le sais très bien; toutes les femmes sont faites pour coucher avec les hommes, et ta sœur peut bien coucher avec moi.

LE PRIEUR, *se lève.* — Vous dois-je quelque chose, brave
130 homme? *(Il jette une pièce de monnaie sur la table et sort.)*

SALVIATI. — J'aime beaucoup ce brave prieur, à qui un propos sur sa sœur fait oublier le reste de son argent. Ne dirait-on pas que toute la vertu de Florence s'est réfugiée chez ces Strozzi? Le voilà qui se retourne. Écarquille tes yeux tant que tu vou-
135 dras, tu ne me feras pas peur.

---

1. La femme de Julien Salviati « n'avait pas trop bonne réputation », dit Varchi. Elle fut notamment accusée par l'opinion publique d'avoir empoisonné Louise Strozzi (voir acte III, scène VII).

QUESTIONS

● SCÈNE V. — Pourquoi Musset a-t-il rapproché cette scène de la précédente?
— La suite des idées : y a-t-il un ordre sous le désordre apparent?
— Comment Musset a-t-il différencié les personnages dans une scène qui en comporte tant?
— La peinture de la vie quotidienne.
— La satire des menus défauts féminins.
— Les allusions contemporaines dans la scène.

SCÈNE VI.

Le bord de l'Arno.

MARIE SODERINI, CATHERINE.

CATHERINE. — Le soleil commence à baisser. De larges bandes de pourpre traversent le feuillage, et la grenouille fait sonner sous les roseaux sa petite cloche de cristal. C'est une singulière chose que toutes les harmonies du soir avec le bruit
5 lointain de cette ville.

MARIE. — Il est temps de rentrer; noue ton voile autour de ton cou.

CATHERINE. — Pas encore, à moins que vous n'ayez froid. Regardez, ma mère chérie[1] : que le ciel est beau! Que tout
10 cela est vaste et tranquille! Comme Dieu est partout! Mais vous baissez la tête; vous êtes inquiète depuis ce matin.

MARIE. — Inquiète, non, mais affligée. N'as-tu pas entendu répéter cette fatale histoire de Lorenzo? Le voilà la fable de Florence.

15 CATHERINE. — O ma mère! la lâcheté n'est point un crime; le courage n'est pas une vertu : pourquoi la faiblesse serait-elle blâmable? Répondre des battements de son cœur est un triste privilège. Et pourquoi cet enfant n'aurait-il pas le droit que nous avons toutes, nous autres femmes? Une femme qui
20 n'a peur de rien n'est pas aimable, dit-on.

MARIE. — Aimerais-tu un homme qui a peur? Tu rougis, Catherine; Lorenzo est ton neveu; mais figure-toi qu'il s'appelle de tout autre nom, qu'en penserais-tu? Quelle femme voudrait s'appuyer sur son bras pour monter à cheval? Quel
25 homme lui serrerait la main?

CATHERINE. — Cela est triste, et cependant ce n'est pas de cela que je le plains. Son cœur n'est peut-être pas celui d'un Médicis; mais, hélas! c'est encore moins celui d'un honnête homme.

---

1. *Catherine Ginori*, belle-sœur de Marie. Elle lui donne le nom de *mère* à cause de leur très grande différence d'âge : Catherine n'a que vingt-deux ans.

30 MARIE. — N'en parlons pas, Catherine; il est assez cruel pour une mère de ne pouvoir parler de son fils.

CATHERINE. — Ah! cette Florence! c'est là qu'on l'a perdu! N'ai-je pas vu briller quelquefois dans ses yeux le feu d'une noble ambition! Sa jeunesse n'a-t-elle pas été l'aurore d'un 35 soleil levant? Et souvent encore aujourd'hui il me semble qu'un éclair rapide... — Je me dis malgré moi que tout n'est pas mort en lui.

MARIE. — Ah! tout cela est un abîme! tant de facilité, un si doux amour de la solitude! Ce ne sera jamais un guerrier 40 que mon Renzo, disais-je en le voyant rentrer de son collège, avec ses gros livres sous le bras; mais un saint amour de la vérité brillait sur ses lèvres et dans ses yeux noirs. Il lui fallait s'inquiéter de tout[1], dire sans cesse : « Celui-là est pauvre, celui-là est ruiné; comment faire? » Et cette admiration pour 45 les grands hommes de son Plutarque[2]! Catherine, Catherine, que de fois je l'ai baisé au front en pensant au père de la patrie[3]!

CATHERINE. — Ne vous affligez pas.

MARIE. — Je dis que je ne veux pas parler de lui, et j'en parle sans cesse. Il y a de certaines choses, vois-tu, les mères ne s'en 50 taisent que dans le silence éternel. Que mon fils eût été un débauché vulgaire, que le sang des Soderini[4] eût été pâle dans cette faible goutte tombée de mes veines, je ne me désespérerais pas; mais j'ai espéré et j'ai eu raison de le faire! Ah! Catherine, il n'est même plus beau; comme une fumée mal-55 faisante la souillure de son cœur lui est montée au visage. Le sourire, ce doux épanouissement qui rend la jeunesse semblable aux fleurs, s'est enfui de ses joues couleur de soufre, pour y laisser grommeler une ironie ignoble et le mépris de tout[5].

60 CATHERINE. — Il est encore beau quelquefois dans sa mélancolie étrange.

MARIE. — Sa naissance ne l'appelait-elle pas au trône? N'au-

---

1. L'inquiétude de Lorenzo, accrue par sa misère et sa vie errante, est conforme à la vérité historique, ainsi que son aspect débile. Mais il n'est jamais allé au collège, et il ne semble pas qu'il ait éprouvé les sentiments généreux qui lui sont prêtés ici; 2. On connaît le succès remporté par *la Vie des hommes illustres*, de Plutarque, chez les humanistes italiens et français. On croit que Lorenzo fut en partie poussé au meurtre par l'éloge d'Harmodius et d'Aristogiton, meurtriers du tyran d'Athènes Hipparque, contenu dans Plutarque; 3. Un ancêtre de Lorenzo, Côme de Médicis, dit Côme l'Ancien (1389-1464), avait reçu ce titre en compensation d'un exil injustifié; 4. *Soderini :* famille maternelle de Lorenzo. Ses membres avaient occupé de hautes places. Ils s'étaient montré honnêtes, mais mous et négligents; 5. C'est Musset tel qu'il se voit à tort à cette époque.

rait-il pas pu y faire monter un jour avec lui la science d'un docteur, la plus belle jeunesse du monde, et couronner d'un
65 diadème d'or tous mes songes chéris? ne devais-je pas m'attendre à cela? Ah! Cattina, pour dormir tranquille, il faut n'avoir jamais fait certains rêves. Cela est trop cruel d'avoir vécu dans un palais de fées, où murmuraient les cantiques des anges, de s'y être endormie, bercée par son fils, et de se
70 réveiller dans une masure ensanglantée[1], pleine de débris d'orgie et de restes humains, dans les bras d'un spectre hideux qui vous tue en vous appelant encore du nom de mère.

CATHERINE. — Des ombres silencieuses commencent à marcher sur la route; rentrons, Marie; tous ces bannis me font peur.

75 MARIE. — Pauvres gens! Ils ne doivent que faire pitié! Ah! ne puis-je voir un seul objet qu'il ne m'entre une épine dans le cœur? Ne puis-je plus ouvrir les yeux! Hélas! ma Cattina, ceci est encore l'ouvrage de Lorenzo. Tous ces pauvres bourgeois ont eu confiance en lui; il n'en est pas un, parmi tous
80 ces pères de famille chassés de leur patrie, que mon fils n'ait trahi[2]. Leurs lettres, signées de leurs noms, sont montrées au duc. C'est ainsi qu'il fait tourner à un infâme usage jusqu'à la glorieuse mémoire de ses aïeux. Les républicains s'adressent à lui comme à l'antique rejeton de leur protecteur; sa maison
85 leur est ouverte, les Strozzi eux-mêmes y viennent. Pauvre Philippe! il y aura une triste fin pour tes cheveux gris! Ah! ne puis-je voir une fille sans pudeur, un malheureux privé de sa famille, sans que cela me crie : Tu es la mère de nos malheurs! Quand serai-je là? *(Elle frappe la terre.)*

90 CATHERINE. — Ma pauvre mère, vos larmes se gagnent. *(Elles s'éloignent. — Le soleil est couché. — Un groupe de bannis se forme au milieu d'un champ.)*

UN DES BANNIS. — Où allez-vous?

UN AUTRE. — A Pise[3]; et vous?

LE PREMIER. — A Rome.

UN AUTRE. — Et moi à Venise; en voilà deux qui vont à
95 Ferrare; que deviendrons-nous ainsi éloignés les uns des autres?

---

1. Après bien des aventures (voir page 19, note 7), Marie vivait dans une misérable maison adossée au palais Médicis; 2. Voir acte premier, scène IV, page 35, ligne 79 et suivantes; 3. *Pise* était gouvernée par Jacques de Lazare de Médicis, que l'on croyait à tort sympathisant à la cause républicaine.

UN QUATRIÈME. — Adieu, voisin; à des temps meilleurs. *(Il s'en va.)* Adieu; pour nous, nous pouvons aller ensemble jusqu'à la croix de la Vierge[1]. *(Il sort avec un autre. — Arrive Maffio.)*

100 LE PREMIER BANNI. — C'est toi, Maffio! Par quel hasard es-tu ici?

MAFFIO. — Je suis des vôtres. Vous saurez que le duc a enlevé ma sœur; j'ai tiré l'épée; une espèce de tigre avec des membres de fer s'est jeté à mon cou et m'a désarmé; après 105 quoi j'ai reçu l'ordre de sortir de la ville et une bourse pleine de ducats.

LE SECOND BANNI. — Et ta sœur, où est-elle?

MAFFIO. — On me l'a montrée ce soir sortant du spectacle dans une robe comme n'en a pas l'impératrice; que Dieu lui 110 pardonne! Une vieille l'accompagnait, qui a laissé trois de ses dents à la sortie. Jamais je n'ai donné de ma vie un coup de poing qui m'ait fait ce plaisir-là.

LE TROISIÈME BANNI. — Qu'ils crèvent tous dans leur fange crapuleuse, et nous mourrons contents.

115 LE QUATRIÈME. — Philippe Strozzi nous écrira à Venise; quelque jour nous serons tout étonnés de trouver une armée à nos ordres.

LE TROISIÈME. — Que Philippe vive longtemps! Tant qu'il y aura un cheveu sur sa tête, la liberté de l'Italie n'est pas 120 morte. *(Une partie du groupe se détache; tous les bannis s'embrassent.)*

UNE VOIX. — A des temps meilleurs!

UNE AUTRE. — A des temps meilleurs! *(Deux bannis montent sur la plate-forme d'où l'on découvre la ville.)*

125 LE PREMIER. — Adieu, Florence, peste de l'Italie! Adieu, mère stérile, qui n'as plus de lait pour tes enfants!

LE SECOND. — Adieu, Florence la bâtarde, spectre hideux de l'antique Florence. Adieu, fange sans nom!

TOUS LES BANNIS. — Adieu, Florence! Maudites soient les 130 mamelles de tes femmes! Maudits soient tes sanglots! Mau-

---

1. *Croix de la Vierge*, un calvaire des environs de Florence, impossible à localiser précisément.

dites les prières de tes églises, le pain de tes blés, l'air de tes rues! Malédiction sur la dernière goutte de ton sang corrompu!

ACTE II

SCÈNE I.

Chez les Strozzi.

PHILIPPE, *dans son cabinet.* — Dix citoyens bannis dans ce quartier-ci seulement! le vieux Galeazzo et le petit Maffio[1] bannis! sa sœur corrompue, devenue une fille publique en une nuit! Pauvre petite! Quand l'éducation des basses classes
5 sera-t-elle assez forte pour empêcher les petites filles de rire lorsque leurs parents pleurent? La corruption est-elle donc une loi de nature? Ce qu'on appelle la vertu, est-ce donc l'habit du dimanche qu'on met pour aller à la messe? Le reste de la semaine, on est à la croisée, et, tout en tricotant, on regarde
10 les jeunes gens passer. Pauvre humanité! quel nom portes-tu donc? celui de ta race, ou celui de ton baptême? Et nous autres vieux rêveurs, quelle tache originelle avons-nous lavée sur la face humaine depuis quatre ou cinq mille ans que nous jau-

1. *Galeazzo* n'est pas autrement connu dans la pièce, mais *Maffio* est un des personnages du premier acte (voir liste des personnages et acte I, scène I et scène VI).

QUESTIONS

● SCÈNE VI. — Pourquoi avoir groupé les deux parties de la scène, si dissemblables à première vue?

— Étudiez la description du début (les deux premières répliques de Catherine), sa valeur poétique et dramatique.

— La confession lyrique de Musset à travers le portrait de Lorenzo. Comparez avec *la Confession d'un enfant du siècle* (« Classiques Larousse », Musset, *Pages choisies*, [prose]).

— Les sentiments maternels de Marie. Comparez le personnage à Hermia dans *les Caprices de Marianne* (acte premier, scène II).

■ SUR L'ENSEMBLE DE L'ACTE PREMIER. — Composition de l'acte : les tableaux successifs constituent-ils une exposition?

— L'importance des scènes de foule : comment se précise l'image de Florence en 1537? Le rôle des bannis, qui vont reparaître à plusieurs reprises au cours de la pièce.

— Recueillez dans cet acte les traits disséminés qui nous font connaître les Strozzi avant leur entrée en scène.

— Lorenzo d'après cet acte : entrevoit-on déjà ses intentions?

nissons avec nos livres[1]? Qu'il t'est facile à toi, dans le silence
15 du cabinet, de tracer d'une main légère une ligne mince et pure comme un cheveu sur ce papier blanc! qu'il t'est facile de bâtir des palais et des villes avec ce petit compas et un peu d'encre! Mais l'architecte, qui a dans son pupitre des milliers de plans admirables, ne peut soulever de terre le premier pavé
20 de son édifice, quand il vient se mettre à l'ouvrage avec son dos voûté et ses idées obstinées. Que le bonheur des hommes ne soit qu'un rêve, cela est pourtant dur; que le mal soit irrévocable, éternel, impossible à changer, non! Pourquoi le philosophe qui travaille pour tous regarde-t-il autour de lui?
25 voilà le tort. Le moindre insecte qui passe devant ses yeux lui cache le soleil; allons-y donc plus hardiment; la république, il nous faut ce mot-là. Et quand ce ne serait qu'un mot, c'est quelque chose, puisque les peuples se lèvent quand il traverse l'air... Ah! bonjour, Léon. *(Entre le prieur de Capoue.)*

30 LE PRIEUR. — Je viens de la foire de Montolivet.

PHILIPPE. — Était-ce beau? Te voilà aussi, Pierre? Assieds-toi donc, j'ai à te parler. *(Entre Pierre Strozzi.)*

LE PRIEUR. — C'était très beau, et je m'y suis assez amusé, sauf certaine contrariété un peu trop forte que j'ai quelque
35 peine à digérer.

PIERRE. — Bah! qu'est-ce donc?

LE PRIEUR. — Figurez-vous que j'étais entré dans une boutique prendre un verre de limonade... — Mais non, cela est inutile, je suis un sot de m'en souvenir.

40 PHILIPPE. — Que diable as-tu sur le cœur? tu parles comme une âme en peine.

LE PRIEUR. — Ce n'est rien; un méchant propos, rien de plus. Il n'y a aucune importance à attacher à tout cela.

PIERRE. — Un propos? sur qui? sur toi?

45 LE PRIEUR. — Non pas sur moi précisément. Je me soucierais bien d'un propos sur moi.

PIERRE. — Sur qui donc? Allons, parle, si tu veux.

LE PRIEUR. — J'ai tort; on ne se souvient pas de ces choses-là quand on sait la différence d'un honnête homme à un Salviati.

---

1. *Philippe Strozzi*, chrétien tout imprégné de philosophie antique, compare implicitement le dogme du péché originel, qui condamne la race humaine, mais rachète les hommes individuellement par le baptême, et la philosophie de ces « rêveurs », qui n'offre aucun rachat.

50 PIERRE. — Salviati? Qu'a dit cette canaille?

LE PRIEUR. — C'est un misérable, tu as raison. Qu'importe ce qu'il peut dire! Un homme sans pudeur, un valet de cour, qui, à ce qu'on raconte, a pour femme la plus grande dévergondée[1]! Allons, voilà qui est fait, je n'y penserai pas davantage.

55 PIERRE. — Penses-y et parle, Léon; c'est-à-dire que cela me démange de lui couper les oreilles. De qui a-t-il médit? De nous? De mon père? Ah! sang du Christ, je ne l'aime guère, ce Salviati. Il faut que je sache cela, entends-tu?

LE PRIEUR. — Si tu y tiens, je te le dirai. Il s'est exprimé 60 devant moi, dans une boutique, d'une manière vraiment offensante sur le compte de notre sœur.

PIERRE. — O mon Dieu! Dans quels termes? Allons, parle donc!

LE PRIEUR. — Dans les termes les plus grossiers.

65 PIERRE. — Diable de prêtre que tu es! tu me vois hors de moi d'impatience, et tu cherches tes mots! Dis les choses comme elles sont; parbleu, un mot est un mot; il n'y a pas de bon Dieu qui tienne.

PHILIPPE. — Pierre, Pierre! tu manques à ton frère.

70 LE PRIEUR. — Il a dit qu'il coucherait avec elle, voilà son mot, et qu'elle le lui avait promis.

PIERRE. — Qu'elle couch... Ah! mort de mort, de mille morts! Quelle heure est-il?

PHILIPPE. — Où vas-tu? Allons, es-tu fait de salpêtre? Qu'as-tu 75 à faire de cette épée? tu en as une au côté[2].

PIERRE. — Je n'ai rien à faire; allons dîner, le dîner est servi. *(Ils sortent.)*

---

1. Voir page 42, note 1; 2. Il faut supposer un jeu de scène : Pierre a décroché une épée pendue au mur, en oubliant qu'il en portait déjà une.

QUESTIONS

● SCÈNE PREMIÈRE. — La suite des idées dans le monologue de Philippe Strozzi. Philippe Strozzi et la philosophie du XVIIIe siècle.

— Les réticences du prieur sont-elles sincères ou ont-elles pour dessein de faire sortir Philippe de son calme?

SCÈNE II.

Le portail d'une église.

Entrent LORENZO *et* VALORI.

VALORI. — Comment se fait-il que le duc n'y vienne pas? Ah! monsieur, quelle satisfaction pour un chrétien que ces pompes magnifiques de l'Église romaine! quel homme pourrait y être insensible? L'artiste ne trouverait-il pas là le paradis
5 de son cœur? le guerrier, le prêtre et le marchand n'y rencontrent-ils pas tout ce qu'ils aiment! Cette admirable harmonie des orgues, ces tentures éclatantes de velours et de tapisserie, ces tableaux des premiers maîtres, les parfums tièdes et suaves que balancent les encensoirs, et les chants délicieux de ces
10 voix argentines, tout cela peut choquer, par son ensemble mondain, le moine sévère et ennemi du plaisir; mais rien n'est plus beau, selon moi, qu'une religion qui se fait aimer par de pareils moyens[1]! Pourquoi les prêtres voudraient-ils servir un Dieu jaloux? La religion n'est pas un oiseau de proie;
15 c'est une colombe compatissante qui plane doucement sur tous les rêves et sur tous les amours.

LORENZO. — Sans doute; ce que vous dites là est parfaitement vrai, et parfaitement faux[2], comme tout au monde.

TEBALDEO FRECCIA[3], *s'approchant de Valori.* — Ah! monsei-
20 gneur, qu'il est doux de voir un homme tel que Votre Éminence parler ainsi de la tolérance et de l'enthousiasme sacré! Pardonnez à un citoyen obscur, qui brûle de ce feu divin, de vous remercier de ce peu de paroles que je viens d'entendre. Trouver sur les lèvres d'un honnête homme ce qu'on a soi-même dans
25 le cœur, c'est le plus grand des bonheurs qu'on puisse désirer.

VALORI. — N'êtes-vous pas le petit Freccia?

TEBALDEO. — Mes ouvrages ont peu de mérite; je sais mieux aimer les arts que je ne sais les exercer. Mais ma jeunesse tout entière s'est passée dans les églises. Il me semble que je ne puis admirer ailleurs Raphaël[4] et notre divin Buonarroti[5].

---

1. Reprise d'un thème qu'avait développé Chateaubriand dans *le Génie du christianisme* (1802), en montrant la beauté artistique du culte et des cérémonies chrétiennes; 2. Vrai, parce que cette beauté est réelle. Faux, parce qu'elle ne suffit pas à prouver la vérité de cette religion; 3. *Freccia.* Le peintre (plutôt symbole que personnage) semble bien avoir été inventé par Musset; 4. *Raphaël* (1483-1520) avait en effet travaillé à Florence avant de devenir architecte en chef du Vatican; 5. *Buonarroti*, nom de famille de *Michel-Ange* (1475-1564); l'artiste, qui avait exécuté de nombreuses œuvres dans sa ville natale (tombeau des Médicis), venait de se fixer à Rome (1534).

30 Je demeure alors durant des journées devant leurs ouvrages, dans une extase sans égale. Le chant de l'orgue me révèle leur pensée et me fait pénétrer dans leur âme; je regarde les personnages de leurs tableaux si saintement agenouillés, et 35 j'écoute, comme si les cantiques du chœur sortaient de leurs bouches entrouvertes, des bouffées d'encens aromatiques passent entre eux et moi dans une vapeur légère; je crois y voir la gloire de l'artiste; c'est aussi une triste et douce fumée, et qui ne serait qu'un parfum stérile si elle ne montait à Dieu.

40 VALORI. — Vous êtes un vrai cœur d'artiste; venez à mon palais, et ayez quelque chose sous votre manteau quand vous y viendrez. Je veux que vous travailliez pour moi.

TEBALDEO. — C'est trop d'honneur que me fait Votre Éminence. Je suis un desservant bien humble de la sainte religion 45 de la peinture.

LORENZO. — Pourquoi remettre vos offres de service? Vous avez, il me semble, un cadre dans les mains.

TEBALDEO. — Il est vrai; mais je n'ose le montrer à de si grands connaisseurs. C'est une esquisse bien pauvre d'un rêve 50 magnifique.

LORENZO. — Vous faites le portrait de vos rêves? Je ferai poser pour vous quelques-uns des miens.

TEBALDEO. — Réaliser des rêves, voilà la vie du peintre. Les plus grands ont représenté les leurs dans toute leur force 55 et sans y rien changer. Leur imagination était un arbre plein de sève; les bourgeons s'y métamorphosaient sans peine en fleurs, et les fleurs en fruits; bientôt ces fruits mûrissaient à un soleil bienfaisant, et, quand ils étaient mûrs, ils se détachaient d'eux-mêmes et tombaient sur la terre sans perdre un seul 60 grain de leur poussière virginale[1]. Hélas! les rêves des artistes médiocres sont des plantes difficiles à nourrir et qu'on arrose de larmes bien amères pour les faire bien peu prospérer. *(Il montre son tableau.)*

VALORI. — Sans compliment, cela est beau : non pas du 65 premier mérite, il est vrai : pourquoi flatterais-je un homme qui ne se flatte pas lui-même? Mais votre barbe n'est pas encore poussée, jeune homme.

---

1. Il s'agit du grain velouté de certains fruits (abricot, pêche), que ceux-ci perdent en partie quand on les touche.

LORENZO. — Est-ce un paysage ou un portrait? De quel côté faut-il regarder, en long ou en large?

70 TEBALDEO. — Votre Seigneurie se rit de moi. C'est la vue du Campo Santo[1].

LORENZO. — Combien y a-t-il d'ici à l'immortalité?

VALORI. — Il est mal à vous de plaisanter cet enfant. Voyez comme ses grands yeux s'attristent à chacune de vos paroles.

75 TEBALDEO. — L'immortalité, c'est la foi. Ceux à qui Dieu a donné des ailes y arrivent en souriant.

VALORI. — Tu parles comme un élève de Raphaël[2].

TEBALDEO. — Seigneur, c'était mon maître. Ce que j'ai appris vient de lui.

80 LORENZO. — Viens chez moi; je te ferai peindre la Mazzafirra[3] toute nue.

TEBALDEO. — Je ne respecte point mon pinceau, mais je respecte mon art.

LORENZO. — Ton dieu s'est bien donné la peine de la faire;
85 tu peux bien te donner celle de la peindre. Veux-tu me faire une vue de Florence?

TEBALDEO. — Oui, monseigneur.

LORENZO. — Comment t'y prendrais-tu?

TEBALDEO. — Je me placerais à l'orient, sur la rive gauche
90 de l'Arno. C'est de cet endroit que la perspective est la plus large et la plus agréable[4].

LORENZO. — Tu peindrais Florence, les places, les maisons et les rues?

TEBALDEO. — Oui, monseigneur.

95 LORENZO. — Pourquoi donc ne peux-tu peindre une courtisane, si tu peux peindre un mauvais lieu?

TEBALDEO. — On ne m'a point encore appris à parler ainsi de ma mère.

LORENZO. — Qu'appelles-tu ta mère?

---

1. *Campo-Santo*, l'un des cimetières de Florence, situé à San Miniato al Monte, au sud-est de la ville; 2. Les madones et les anges de Raphaël sont presque toujours représentés souriants; 3. *La Mazzafirra*, courtisane florentine; 4. Sur les hauteurs qui dominent Florence.

100 TEBALDEO. — Florence, seigneur.

LORENZO. — Alors tu n'es qu'un bâtard, car ta mère n'est qu'une catin.

TEBALDEO. — Une blessure sanglante peut engendrer la corruption dans le corps le plus sain; mais des gouttes précieuses
105 du sang de ma mère[1] sort une plante odorante qui guérit tous les maux. L'art, cette fleur divine, a quelquefois besoin du fumier pour engraisser le sol et le féconder.

LORENZO. — Comment entends-tu ceci?

TEBALDEO. — Les nations paisibles et heureuses ont quel-
110 quefois brillé d'une clarté pure, mais faible. Il y a plusieurs cordes à la harpe des anges; le zéphyr peut murmurer sur les plus faibles et tirer de leur accord une harmonie suave et délicieuse; mais la corde d'argent ne s'ébranle qu'au passage du vent du nord[2]. C'est la plus belle et la plus noble; et cepen-
115 dant le toucher d'une rude main lui est favorable. L'enthousiasme est frère de la souffrance.

LORENZO. — C'est-à-dire qu'un peuple malheureux fait les grands artistes. Je me ferais volontiers l'alchimiste de ton alambic; les larmes des peuples y retombent en perles. Par la
120 mort du diable! tu me plais. Les familles peuvent se désoler, les nations mourir de misère, cela échauffe la cervelle de monsieur! Admirable poète! comment arranges-tu tout cela avec ta piété?

TEBALDEO. — Je ne ris point du malheur des familles : je
125 dis que la poésie est la plus douce des souffrances, et qu'elle aime ses sœurs. Je plains les peuples malheureux; mais je crois, en effet, qu'ils font les grands artistes; les champs de bataille font pousser les moissons, les terres corrompues engendrent le blé céleste.

130 LORENZO. — Ton pourpoint est usé; en veux-tu un à ma livrée?

TEBALDEO. — Je n'appartiens à personne; quand la pensée veut être libre, le corps doit l'être aussi.

---

1. C'est-à-dire Florence; 2. « La corde qui rend le son le plus plein ne vibre qu'au vent le plus difficile à supporter. » Autrement dit : « Les époques de tourmente et les pays rigoureux produisent les grandes œuvres », idée familière aux romantiques depuis Mme de Staël.

LORENZO. — J'ai envie de dire à mon valet de chambre de
135 te donner des coups de bâton.

TEBALDEO. — Pourquoi, monseigneur?

LORENZO. — Parce que cela me passe par la tête. Es-tu boiteux de naissance ou par accident?

TEBALDEO. — Je ne suis pas boiteux; que voulez-vous dire
140 par là?

LORENZO. — Tu es boiteux ou tu es fou.

TEBALDEO. — Pourquoi, monseigneur? Vous vous riez de moi.

LORENZO. — Si tu n'étais pas boiteux, comment resterais-tu, à moins d'être fou, dans une ville où, en l'honneur de tes idées
145 de liberté, le premier valet d'un Médicis peut t'assommer sans qu'on y trouve à redire?

TEBALDEO. — J'aime ma mère Florence; c'est pourquoi je reste chez elle. Je sais qu'un citoyen peut être assassiné en plein jour et en pleine rue, selon le caprice de ceux qui la gouvernent;
150 c'est pourquoi je porte ce stylet à ma ceinture.

LORENZO. — Frapperais-tu le duc si le duc te frappait, comme il lui est arrivé souvent de commettre, par partie de plaisir, des meurtres facétieux?

TEBALDEO. — Je le tuerais s'il m'attaquait.

155 LORENZO. — Tu me dis cela, à moi!

TEBALDEO. — Pourquoi m'en voudrait-on? je ne fais de mal à personne. Je passe les journées à l'atelier. Le dimanche, je vais à l'Annonciade ou à Sainte-Marie[1], les moines trouvent que j'ai de la voix; ils me mettent une robe blanche et une
160 calotte rouge, et je fais ma partie dans les chœurs, quelquefois un petit solo : ce sont les seules occasions où je vais en public. Le soir, je vais chez ma maîtresse, et quand la nuit est belle, je la passe sur son balcon. Personne ne me connaît, et je ne connais personne : à qui ma vie ou ma mort peut-elle être utile?

165 LORENZO. — Es-tu républicain? aimes-tu les princes?

TEBALDEO. — Je suis artiste; j'aime ma mère et ma maîtresse.

---

1. *L'Annonciade :* l'église de la Santissima-Annunziata, une des plus riches en œuvres d'art. En revanche, quatre églises de Florence portent le nom de Sainte-Marie; il peut s'agir ici de la cathédrale Sainte-Marie-des-Fleurs.

Dessin de G. Amato, tiré de *l'Illustration*

UNE SCÈNE DE *LORENZACCIO* AU THÉÂTRE DE LA RENAISSANCE (1896)
Sire Maurice provoque Lorenzaccio en présence du duc Alexandre de Médicis.

LORENZO. — Viens demain à mon palais, je veux te faire faire un tableau d'importance pour le jour de mes noces. *(Ils sortent.)*

SCÈNE III.

Chez la marquise Cibo.

LE CARDINAL, *seul.* — Oui, je suivrai tes ordres, Farnèse[1]! Que ton commissaire apostolique[2] s'enferme avec sa probité dans le cercle étroit de son office, je remuerai d'une main ferme la terre glissante sur laquelle il n'ose marcher. Tu attends
5 cela de moi; je l'ai compris, et j'agirai sans parler, comme tu as commandé. Tu as deviné qui j'étais, lorsque tu m'as placé auprès d'Alexandre sans me revêtir d'aucun titre qui me donnât quelque pouvoir sur lui. C'est d'un autre qu'il se défiera, en m'obéissant à son insu. Qu'il épuise sa force contre
10 des ombres d'hommes gonflés d'une ombre de puissance, je serai l'anneau invisible qui l'attachera, pieds et poings liés, à la chaîne de fer dont Rome et César tiennent les deux bouts[3]. Si mes yeux ne me trompent pas, c'est dans cette maison qu'est le marteau dont je me servirai. Alexandre aime ma belle-sœur :
15 que cet amour l'ait flattée, cela est croyable; ce qui peut résulter est douteux; mais ce qu'elle en veut faire, c'est là ce qui est certain pour moi. Qui sait jusqu'où pourrait aller l'influence d'une femme exaltée, même sur cet homme grossier, sur cette armure vivante? Un si doux péché pour une si belle cause,
20 cela est tentant, n'est-il pas vrai, Ricciarda? Presser ce cœur

---

1. *Farnèse :* le pape Paul III (voir page 33, note 1); 2. Le cardinal Baccio Valori. Allusion à l'attitude circonspecte du cardinal à la scène IV de l'acte premier; 3. Pour le mettre complètement dans la dépendance du pape et de Charles Quint, Cibo veut agir sur Alexandre par l'intermédiaire de sa belle-sœur. Si le rôle du cardinal n'est pas conforme à l'histoire, il ressemble beaucoup à celui des prêtres qu'Eugène Sue mettra en scène dans *le Juif errant.*

QUESTIONS

● SCÈNE II. — Pourquoi la scène se situe-t-elle devant le portail d'une église? — Étudiez le rôle de Tebaldeo : ses croyances religieuses et ses idées artistiques. — Son idéal est-il en accord avec celui des peintures dont il se réclame? — Ce que dit Tebaldeo de la peinture est-il applicable à la poésie? — Expliquez les symboles dans la tirade : *Réaliser des rêves,* ... (page 51). — Quelle est la part de l'affectation et celle de la sincérité dans l'attitude de Lorenzo?

de lion sur ton faible cœur tout percé de flèches saignantes, comme celui de saint Sébastien[1]; parler, les yeux en pleurs, des malheurs de la patrie pendant que le tyran adoré passera ses rudes mains dans ta chevelure dénouée; faire jaillir d'un
25 rocher l'étincelle sacrée, cela valait bien le sacrifice de l'honneur conjugal, et de quelques autres bagatelles. Florence y gagnerait tant, et ces bons maris n'y perdent rien! Mais il ne fallait pas me prendre pour confesseur.

La voici qui s'avance, son livre de prières à la main. Aujour-
30 d'hui donc tout va s'éclaircir; laisse seulement tomber ton secret dans l'oreille du prêtre : le courtisan pourra bien en profiter; mais, en conscience, il n'en dira rien. *(Entre la marquise.)*

LE CARDINAL, *s'asseyant.* — Me voilà prêt. *(La marquise*
35 *s'agenouille auprès de lui sur son prie-Dieu.)*

LA MARQUISE. — Bénissez-moi, mon père, parce que j'ai péché.

LE CARDINAL. — Avez-vous dit votre *Confiteor*[2]*?* Nous pouvons commencer, marquise.

LA MARQUISE. — Je m'accuse de mouvements de colère,
40 de doutes irréligieux et injurieux pour notre saint-père le pape.

LE CARDINAL. — Continuez.

LA MARQUISE. — J'ai dit hier, dans une assemblée, à propos de l'évêque de Fano[3], que la sainte Église catholique était un lieu de débauche.

45 LE CARDINAL. — Continuez.

LA MARQUISE. — J'ai écouté des discours contraires à la fidélité que j'ai jurée à mon mari.

LE CARDINAL. — Qui vous a tenu ces discours?

LA MARQUISE. — J'ai lu une lettre écrite dans la même pensée.

50 LE CARDINAL. — Qui vous a écrit cette lettre?

LA MARQUISE. — Je m'accuse de ce que j'ai fait, et non de ce qu'on fait les autres.

---

1. *Saint Sébastien.* De nombreux tableaux de la Renaissance italienne représentent le martyre de saint Sébastien, notamment celui de Mantegna (1431-1506), qui se trouve au musée du Louvre; 2. *Confiteor :* la prière qui précède la confession. Musset suit très exactement ici le rite de la confession dans la religion catholique; 3. Il a déjà été question de cet évêque, acte premier, scène IV, page 34, ligne 48.

LE CARDINAL. — Ma fille, vous devez me répondre, si vous
55 voulez que je puisse vous donner l'absolution en toute sécurité. Avant tout, dites-moi si vous avez répondu à cette lettre.

LA MARQUISE. — J'y ai répondu de vive voix, mais non par écrit.

LE CARDINAL. — Qu'avez-vous répondu?

LA MARQUISE. — J'ai accordé à la personne qui m'avait
60 écrit la permission de me voir comme elle le demandait.

LE CARDINAL. — Comment s'est passée cette entrevue?

LA MARQUISE. — Je me suis accusée déjà d'avoir écouté des discours contraires à mon honneur.

LE CARDINAL. — Comment y avez-vous répondu?

65 LA MARQUISE. — Comme il convient à une femme qui se respecte.

LE CARDINAL. — N'avez-vous point laissé entrevoir qu'on finirait par vous persuader?

LA MARQUISE. — Non, mon père.

70 LE CARDINAL. — Avez-vous annoncé à la personne dont il s'agit la résolution de ne plus écouter de semblables discours à l'avenir?

LA MARQUISE. — Oui, mon père.

LE CARDINAL. — Cette personne vous plaît-elle?

75 LA MARQUISE. — Mon cœur n'en sait rien, j'espère.

LE CARDINAL. — Avez-vous averti votre mari?

LA MARQUISE. — Non, mon père. Une honnête femme ne doit point troubler son ménage par des récits de cette sorte.

LE CARDINAL. — Ne me cachez-vous rien? Ne s'est-il rien
80 passé entre vous et la personne dont il s'agit que vous hésitiez à me confier?

LA MARQUISE. — Rien, mon père.

LE CARDINAL. — Pas un regard tendre? pas un baiser à la dérobée?

85 LA MARQUISE. — Non, mon père.

LE CARDINAL. — Cela est-il sûr, ma fille?

LA MARQUISE. — Mon beau-frère, il me semble que je n'ai pas l'habitude de mentir devant Dieu.

LE CARDINAL. — Vous avez refusé de me dire le nom que
90 je vous ai demandé tout à l'heure; je ne puis cependant vous donner l'absolution sans le savoir.

LA MARQUISE. — Pourquoi cela? Lire une lettre peut être un péché, mais non pas une signature. Qu'importe le nom à la chose?

95 LE CARDINAL. — Il importe plus que vous ne pensez.

LA MARQUISE. — Malaspina, vous en voulez trop savoir. Refusez-moi l'absolution, si vous voulez; je prendrai pour confesseur le premier prêtre venu qui me la donnera. *(Elle se lève.)*

100 LE CARDINAL. — Quelle violence, marquise! Est-ce que je ne sais pas que c'est du duc que vous voulez parler?

LA MARQUISE. — Du duc! — Eh bien! si vous le savez, pourquoi voulez-vous me le faire dire?

LE CARDINAL. — Pourquoi refusez-vous de me le dire? Cela
105 m'étonne.

LA MARQUISE. — Et qu'en voulez-vous faire, vous, mon confesseur? Est-ce pour le répéter à mon mari que vous tenez si fort à l'entendre? Oui, cela est bien certain, c'est un tort d'avoir pour confesseur un de ses parents. Le ciel m'est témoin
110 qu'en m'agenouillant devant vous, j'oublie que je suis votre belle-sœur; mais vous prenez soin de me le rappeler. Prenez garde, Cibo, prenez garde à votre salut éternel, tout cardinal que vous êtes.

LE CARDINAL. — Revenez donc à cette place, marquise;
115 il n'y a pas tant de mal que vous croyez.

LA MARQUISE. — Que voulez-vous dire?

LE CARDINAL. — Qu'un confesseur doit tout savoir, parce qu'il peut tout diriger, et qu'un beau-frère ne doit rien dire à certaines conditions.

120 LA MARQUISE. — Quelles conditions?

LE CARDINAL. — Non, non, je me trompe; ce n'était pas ce mot-là que je voulais employer. Je voulais dire que le duc est puissant, qu'une rupture avec lui peut nuire aux plus riches familles; mais qu'un secret d'importance entre des mains
125 expérimentées peut devenir une source de biens abondante.

LA MARQUISE. — Une source de biens! des mains expérimentées. — Je reste là, en vérité, comme une statue. Que couves-tu, prêtre, sous ces paroles ambiguës? Il y a certains assemblages de mots qui passent par instants sur vos lèvres,
130 à vous autres[1], on ne sait qu'en penser.

LE CARDINAL. — Revenez donc vous asseoir là, Ricciarda. Je ne vous ai point encore donné l'absolution.

LA MARQUISE. — Parlez toujours; il n'est pas prouvé que j'en veuille.

135 LE CARDINAL, *se levant.* — Prenez garde à vous, marquise! Quand on veut me braver en face, il faut avoir une armure solide et sans défaut; je ne veux point menacer; je n'ai qu'un mot à vous dire : prenez un autre confesseur. *(Il sort.)*

LA MARQUISE, *seule.* — Cela est inouï. S'en aller en serrant
140 les poings, les yeux enflammés de colère! Parler de mains expérimentées, de direction à donner à certaines choses! Eh mais! qu'y a-t-il donc? Qu'il voulût pénétrer mon secret pour en informer mon mari, je le conçois; mais, si ce n'est pas là son but, que veut-il donc faire de moi? la maîtresse du duc?
145 Tout savoir, dit-il, et tout diriger? cela n'est pas possible; il y a quelque autre mystère plus sombre et plus inexplicable là-dessous; Cibo ne ferait pas un pareil métier. Non! cela est sûr; je le connais. C'est bon pour un Lorenzaccio; mais lui! il faut qu'il ait quelque sourde pensée, plus vaste que cela et
150 plus profonde. Ah! comme les hommes sortent d'eux-mêmes tout à coup après dix ans de silence! Cela est effrayant. Maintenant, que ferai-je? Est-ce que j'aime Alexandre? Non, je ne l'aime pas, non, assurément; j'ai dit que non dans ma confession, et je n'ai pas menti. Pourquoi Laurent est-il à Massa?
155 Pourquoi le duc me presse-t-il? Pourquoi ai-je répondu que je ne voulais plus le voir? pourquoi? — Ah! pourquoi y a-t-il dans tout cela un aimant, un charme inexplicable qui m'attire? *(Elle ouvre sa fenêtre.)* Que tu es belle, Florence, mais que tu es triste! Il y a là plus d'une maison où Alexandre est entré
160 la nuit, couvert de son manteau; c'est un libertin, je le sais. — Et pourquoi est-ce que tu te mêles à tout cela, toi, Florence? Qui est-ce donc que j'aime? Est-ce toi? Est-ce lui?

AGNOLO, *entrant.* — Madame, Son Altesse[2] vient d'entrer dans la cour.

---

1. Les gens d'église; 2. Le duc Alexandre.

165 LA MARQUISE. — Cela est singulier; ce Malaspina m'a laissée toute tremblante.

SCÈNE IV.

Au palais des Soderini.

MARIE SODERINI, CATHERINE, LORENZO, *assis.*

CATHERINE, *tenant un livre.* — Quelle histoire vous lirai-je, ma mère?

MARIE. — Ma Cattina[1] se moque de sa pauvre mère. Est-ce que je comprends rien à tes livres latins?

5 CATHERINE. — Celui-ci n'est point en latin, mais il en est traduit. C'est l'histoire romaine.

LORENZO. — Je suis très fort sur l'histoire romaine. Il y avait une fois un jeune gentilhomme nommé Tarquin le fils[2].

CATHERINE. — Ah! c'est une histoire de sang.

10 LORENZO. — Pas du tout; c'est un conte de fées. Brutus était un fou, un monomane, et rien de plus. Tarquin était un duc plein de sagesse, qui allait voir en pantoufles si les petites filles dormaient bien.

CATHERINE. — Dites-vous aussi du mal de Lucrèce?

15 LORENZO. — Elle s'est donné le plaisir du péché et la gloire du trépas. Elle s'est laissé prendre toute vive comme une alouette au piège, et puis elle s'est fourré bien gentiment son petit couteau dans le ventre.

MARIE. — Si vous méprisez les femmes, pourquoi affectez-
20 vous de les rabaisser devant votre mère et votre sœur?

---

1. Diminutif de Catherine; 2. Il s'agit du second des Tarquins, surnommé « le Superbe », le dernier roi de Rome. La légende veut qu'il ait été renversé par Brutus pour avoir réduit au suicide la vertueuse Lucrèce. En l'appelant « le fils », Musset pense à un autre roi de Rome, Tarquin l'Ancien, que la légende ne donne pas pour son père.

QUESTIONS

● SCÈNE III. — La scène approche-t-elle quelquefois du mélodrame par le style ou par le contenu? Sinon comment Musset a-t-il réussi à l'en préserver?
— Étudiez la lutte oratoire entre le cardinal et la marquise. Quand l'un ou l'autre a-t-il le dessus? Qui l'emporte finalement?
— Le cardinal Cibo et Tartuffe.
— Les mobiles du cardinal Cibo : désir de dominer? intérêt personnel? amour caché pour sa belle-sœur? Dégagez, en termes moins imagés, l'intrigue politique imaginée par le cardinal.
— La psychologie de la marquise dans la tirade finale.

LORENZO. — Je vous estime, vous et elle. Hors de là, le monde me fait horreur.

MARIE. — Sais-tu le rêve que j'ai eu cette nuit, mon enfant?

LORENZO. — Quel rêve?

25 MARIE. — Ce n'était point un rêve, car je ne dormais pas. J'étais seule dans cette grande salle; ma lampe était loin de moi, sur cette table auprès de la fenêtre. Je songeais aux jours où j'étais heureuse, aux jours de ton enfance, mon Lorenzino. Je regardais cette nuit obscure, et je me disais : il ne rentrera 30 qu'au jour, lui qui passait autrefois les nuits à travailler. Mes yeux se remplissaient de larmes, et je secouais la tête, en les sentant couler. J'ai entendu tout d'un coup marcher lentement dans la galerie; je me suis retournée, un homme vêtu de noir venait à moi, un livre sous le bras[1] : c'était toi, Renzo : « Comme 35 tu reviens de bonne heure! » me suis-je écriée. Mais le spectre s'est assis auprès de la lampe sans me répondre; il a ouvert son livre, et j'ai reconnu mon Lorenzino d'autrefois.

LORENZO. — Vous l'avez vu?

MARIE. — Comme je te vois.

40 LORENZO. — Quand s'en est-il allé?

MARIE. — Quand tu as tiré la cloche ce matin en rentrant.

LORENZO. — Mon spectre, à moi! Et il s'en est allé quand je suis rentré?

MARIE. — Il s'est levé d'un air mélancolique et s'est effacé 45 comme une vapeur du matin.

LORENZO. — Catherine, Catherine, lis-moi l'histoire de Brutus[2].

CATHERINE. — Qu'avez-vous? vous tremblez de la tête aux pieds.

50 LORENZO. — Ma mère, asseyez-vous ce soir à la place où vous étiez cette nuit, et si mon spectre revient, dites-lui

---

1. Voir dans la *Nuit de décembre*, parue l'année suivante :

> Du temps que j'étais écolier,
> Je restais le soir à veiller
> Dans notre salle solitaire.
> Devant ma table vint s'asseoir
> Un pâle enfant vêtu de noir,
> Qui me ressemblait comme un frère.

2. *Brutus l'Ancien*, dont il s'agit plus haut, n'avait pas tué Tarquin. Lorenzo, qui a déjà l'intention de tuer Alexandre, pense peut-être au républicain Brutus qui assassina Jules César.

qu'il verra bientôt quelque chose qui l'étonnera. *(On frappe.)*

CATHERINE. — C'est mon oncle Bindo et Baptista Venturi. *(Bindo et Venturi entrent*[1]*.)*

55 BINDO, *bas à Marie.* — Je vais tenter un dernier effort.

MARIE. — Nous vous laissons; puissiez-vous réussir! *(Elle sort avec Catherine.)*

BINDO. — Lorenzo, pourquoi ne démens-tu pas l'histoire scandaleuse qui court sur ton compte?

60 LORENZO. — Quelle histoire?

BINDO. — On dit que tu t'es évanoui à la vue d'une épée.

LORENZO. — Le croyez-vous, mon oncle?

BINDO. — Je t'ai vu faire des armes à Rome; mais cela ne m'étonnerait pas que tu devinsses plus vil qu'un chien au 65 métier que tu fais ici.

LORENZO. — L'histoire est vraie : je me suis évanoui. Bonjour, Venturi. A quel taux sont vos marchandises? comment va le commerce?

VENTURI. — Seigneur, je suis à la tête d'une fabrique de soie; 70 mais c'est me faire une injure que de m'appeler marchand.

LORENZO. — C'est vrai. Je voulais dire seulement que vous aviez contracté au collège l'habitude innocente de vendre de la soie[2].

BINDO. — J'ai confié au seigneur Venturi les projets qui 75 occupent en ce moment tant de familles à Florence. C'est un digne ami de la liberté, et j'entends, Lorenzo, que vous le traitiez comme tel. Le temps de plaisanter est passé. Vous nous avez dit quelquefois que cette confiance extrême que le duc vous témoigne n'était qu'un piège de votre part. Cela 80 est-il vrai ou faux? Etes-vous des nôtres, ou n'en êtes-vous pas? voilà ce qu'il nous faut savoir. Toutes les grandes familles voient bien que le despotisme des Médicis n'est ni juste ni tolérable. De quel droit laisserions-nous s'élever paisiblement

---

1. Voir Notice sur les personnages, page 19; 2. Voir Molière, *le Bourgeois gentilhomme* (IV, v) : « Lui, marchand? c'est pure médisance, il ne l'a jamais été. Tout ce qu'il faisait c'est qu'il était fort obligeant, fort officieux, et, comme il se connaissait fort bien en étoffes, il en allait choisir de tous les côtés, les faisait apporter chez lui, et en donnait à ses amis pour de l'argent. » Ici, le trait est plus précis : il reflète le dédain dans lequel les industriels, très en honneur sous la monarchie de Juillet, tenaient les négociants moins favorisés.

cette maison orgueilleuse sur les ruines de nos privilèges? La
85 capitulation[1] n'est point observée. La puissance de l'Allemagne se fait sentir de jour en jour d'une manière absolue. Il est temps d'en finir et de rassembler les patriotes. Répondrez-vous à cet appel?

LORENZO. — Qu'en dites-vous, seigneur Venturi? Parlez,
90 parlez, voilà mon oncle qui reprend haleine; saisissez cette occasion, si vous aimez votre pays.

VENTURI. — Seigneur, je pense de même et n'ai pas un mot à ajouter.

LORENZO. — Pas un mot? pas un beau petit mot bien sonore?
95 Vous ne connaissez pas la véritable éloquence. On tourne une grande période autour d'un beau petit mot, pas trop court ni trop long, et rond comme une toupie, on rejette son bras gauche en arrière de manière à faire faire à son manteau des plis pleins d'une dignité tempérée par la grâce; on lâche sa
100 période qui se déroule comme une corde ronflante, et la petite toupie s'échappe avec un murmure délicieux[2]. On pourrait presque la ramasser dans le creux de la main, comme les enfants des rues.

BINDO. — Tu es un insolent! réponds ou sors d'ici.

105 LORENZO. — Je suis des vôtres, mon oncle. Ne voyez-vous pas à ma coiffure que je suis républicain dans l'âme[3]? Regardez comme ma barbe est coupée. N'en doutez pas un seul instant, l'amour de la patrie respire dans mes vêtements les plus cachés. *(On sonne à la porte d'entrée; la cour se remplit de*
110 *pages et de chevaux.)*

UN PAGE, *en entrant.* — Le duc! *(Entre Alexandre.)*

LORENZO. — Quel excès de faveur, mon prince! vous daignez visiter un pauvre serviteur en personne?

LE DUC. — Quels sont ces hommes-là? J'ai à te parler.

---

1. *La capitulation* passée entre Valori, représentant du pape, et Florence (11 août 1530) stipulait : « Florence paiera 80 000 ducats à l'armée assiégeante, livrera cinquante otages en garantie; Sa Sainteté pardonnera les injures, et dans un délai de quatre mois l'empereur Charles Quint fixera la forme du gouvernement *sous réserve du maintien de la liberté* »; 2. Satire de l'éloquence périodique, qui consiste à entourer une proposition principale courte et sonore de subordonnées en cascades. Quant à la manière de se draper, les manuels oratoires les plus graves, comme le *De Oratore* de Cicéron, la considèrent comme une partie importante de l'art du discours. Voir également (III, III, page 89, lignes 257-259) une diatribe contre Cicéron et les faiseurs de discours; 3. Le portrait de Lorenzo le montre au contraire avec des cheveux et une barbe très fournis. Peut-être faut-il voir là encore une allusion contemporaine : les romantiques ultras portaient toute leur barbe, tandis que les libéraux la rasaient.

115 LORENZO. — J'ai l'honneur de présenter à Votre Altesse mon oncle Bindo Altoviti, qui regrette qu'un long séjour à Naples ne lui ait pas permis de se jeter plus tôt à vos pieds. Cet autre seigneur est l'illustre Baptista Venturi, qui fabrique, il est vrai, de la soie, mais qui n'en vend point. Que la présence
120 inattendue d'un si grand prince dans cette humble maison ne vous trouble pas, mon cher oncle, ni vous non plus, mon digne Venturi. Ce que vous demandez vous sera accordé, ou vous serez en droit de dire que mes supplications n'ont aucun crédit auprès de mon gracieux souverain.

125 LE DUC. — Que demandez-vous, Bindo?

BINDO. — Altesse, je suis désolé que mon neveu...

LORENZO. — Le titre d'ambassadeur à Rome n'appartient à personne en ce moment. Mon oncle se flattait de l'obtenir de vos bontés. Il n'est pas dans Florence un seul homme qui
130 puisse soutenir la comparaison avec lui, dès qu'il s'agit du dévouement et du respect qu'on doit aux Médicis.

LE DUC. — En vérité, Renzino? Eh bien! mon cher Bindo, voilà qui est dit. Viens demain matin au palais.

BINDO. — Altesse, je suis confondu. Comment reconnaître...

135 LORENZO. — Le seigneur Venturi, bien qu'il ne vende point de soie, demande un privilège pour ses fabriques.

LE DUC. — Quel privilège?

LORENZO. — Vos armoiries sur la porte, avec le brevet. Accordez-le-lui, monseigneur, si vous aimez ceux qui vous
140 aiment.

LE DUC. — Voilà qui est bon. Est-ce fini? Allez, messieurs; la paix soit avec vous.

VENTURI. — Altesse!... vous me comblez de joie... je ne puis exprimer...

145 LE DUC, *à ses gardes.* — Qu'on laisse passer ces deux personnes.

BINDO, *sortant, bas à Venturi.* — C'est un tour infâme.

VENTURI, *de même.* — Qu'est-ce que vous ferez?

BINDO, *de même.* — Que diable veux-tu que je fasse? Je suis
150 nommé.

VENTURI, *de même.* — Cela est terrible! *(Ils sortent.)*

LE DUC. — La Cibo est à moi.

LORENZO. — J'en suis fâché.

LE DUC. — Pourquoi?

155 LORENZO. — Parce que cela fera tort aux autres.

LE DUC. — Ma foi, non, elle m'ennuie déjà. Dis-moi donc, mignon, quelle est donc cette belle femme qui arrange ses fleurs sur cette fenêtre? Voilà longtemps que je la vois sans cesse en passant.

160 LORENZO. — Où donc?

LE DUC. — Là-bas, en face, dans le palais.

LORENZO. — Oh! ce n'est rien.

LE DUC. — Rien? Appelles-tu rien ces bras-là! Quelle Vénus! entrailles du diable!

165 LORENZO. — C'est une voisine.

LE DUC. — Je veux parler à cette voisine-là. Eh, parbleu! si je ne me trompe, c'est Catherine Ginori.

LORENZO. — Non.

LE DUC. — Je la reconnais très bien; c'est ta tante. Peste!
170 j'avais oublié cette figure-là. Amène-la donc souper.

LORENZO. — Cela serait très difficile. C'est une vertu.

LE DUC. — Allons donc! Est-ce qu'il y en a pour nous autres?

LORENZO. — Je le lui demanderai, si vous voulez; mais je vous avertis que c'est une pédante; elle parle latin.

175 LE DUC. — Bon! elle ne fait pas l'amour en latin. Viens donc par ici; nous la verrons mieux de cette galerie.

LORENZO. — Une autre fois, mignon; — à l'heure qu'il est, je n'ai pas de temps à perdre : — il faut que j'aille chez le Strozzi.

LE DUC. — Quoi! chez ce vieux fou?

180 LORENZO. — Oui, chez ce vieux misérable, chez cet infâme. Il paraît qu'il ne peut se guérir de cette singulière lubie d'ouvrir sa bourse à toutes ces viles créatures qu'on nomme bannis, et que ces meurt-de-faim se réunissent chez lui tous les jours, avant de mettre leurs souliers et de prendre leurs bâtons.

185 Maintenant mon projet est d'aller au plus vite manger le dîner de ce vieux gibier de potence et de lui renouveler l'assurance de ma cordiale amitié. J'aurai ce soir quelque bonne histoire à vous conter, quelque charmante petite fredaine qui pourra faire lever de bonne heure demain matin quelques-unes de 190 toutes ces canailles.

LE DUC. — Que je suis heureux de t'avoir, mignon! J'avoue que je ne comprends pas comment ils te reçoivent.

LORENZO. — Bon! si vous saviez comme cela est aisé de mentir impudemment au nez d'un butor! Cela prouve bien 195 que vous n'avez jamais essayé. A propos, ne m'avez-vous pas dit que vous vouliez donner votre portrait, je ne sais plus à qui? J'ai un peintre à vous amener; c'est un protégé.

LE DUC. — Bon, bon, mais pense à ta tante. C'est pour elle que je suis venu te voir; le diable m'emporte! tu as une 200 tante qui me revient.

LORENZO. — Et la Cibo?

LE DUC. — Je te dis de parler de moi à ta tante. *(Ils sortent.)*

QUESTIONS

● SCÈNE IV. — Composition de cette scène : qu'est-ce qui en fait l'unité? Son importance dans le développement de l'action : comment établit-elle un lien entre des épisodes qui semblaient jusque-là sans rapports?

— Des impressions contradictoires que Lorenzo laisse dans la scène, laquelle l'emporte? Est-ce une bonne préparation pour la suite? — A quel sentiment Lorenzo obéit-il en révélant à sa mère qu'elle verra bientôt « quelque chose qui l'étonnera »?

— Le mélange du tragique et du comique dans la scène. Est-il conforme aux théories de Hugo sur la question?

— Le personnage de Bindo. Son ridicule tient-il entièrement à sa situation devant le duc? Vous comparerez les rapports oncle-neveu de Bindo et de Lorenzo avec ceux de Monsieur Van Buck et de Valentin dans *Il ne faut jurer de rien.*

— Le rêve de Marie. Quel est son rôle, comparé à celui de l'acte premier, scène VI?

SCÈNE V.

Une salle du palais des Strozzi.

PHILIPPE STROZZI; LE PRIEUR; LOUISE, *occupée à travailler;* LORENZO, *couché sur un sofa.*

PHILIPPE. — Dieu veuille qu'il n'en soit rien! Que de haines inextinguibles, implacables, n'ont pas commencé autrement! Un propos! la fumée d'un repas jasant sur les lèvres épaisses d'un débauché! Voilà les guerres de famille, voilà comme les
5 couteaux se tirent. On est insulté et on tue; on a tué et on est tué. Bientôt les haines s'enracinent; on berce les fils dans les cercueils de leurs aïeux, et des générations entières sortent de terre l'épée à la main.

LE PRIEUR. — J'ai peut-être eu tort de me souvenir de ce
10 méchant propos et de ce maudit voyage à Montolivet; mais le moyen d'endurer ces Salviati?

PHILIPPE. — Ah! Léon, je te le demande, qu'y aurait-il de changé pour Louise et pour nous-mêmes si tu n'avais rien dit à mes enfants? La vertu d'une Strozzi ne peut-elle oublier
15 un mot d'un Salviati? L'habitant d'un palais de marbre doit-il savoir les obscénités que la populace écrit sur ses murs? Qu'importe le propos d'un Julien? Ma fille en trouvera-t-elle moins un honnête mari? ses enfants la respecteront-ils moins? M'en souviendrai-je, moi, son père, en lui donnant le baiser du
20 soir? Où en sommes-nous, si l'insolence du premier venu tire du fourreau des épées comme les nôtres? Maintenant tout est perdu; voilà Pierre furieux de tout ce que tu nous as conté. Il s'est mis en campagne; il est allé chez les Pazzi. Dieu sait ce qui peut arriver! Qu'il rencontre Salviati, voilà le sang
25 répandu; le mien, mon sang sur le pavé de Florence! Ah! pourquoi suis-je père?

LE PRIEUR. — Si l'on m'eût rapporté un propos sur ma sœur, quel qu'il fût, j'aurais tourné le dos, et tout aurait été fini là. Mais celui-là m'était adressé; il était si grossier, que
30 je me suis figuré que le rustre ne savait de qui il parlait; — mais il le savait bien.

PHILIPPE. — Oui, ils le savent, les infâmes! ils savent bien où ils frappent! Le vieux tronc d'arbre est d'un bois trop solide; ils ne viendraient pas l'entamer. Mais ils connaissent la fibre

35 délicate qui tressaille dans ses entrailles lorsqu'on attaque son plus faible bourgeon. Ma Louise! ah! qu'est-ce donc que la raison? Les mains me tremblent à cette idée. Juste Dieu! la raison, est-ce donc la vieillesse?

LE PRIEUR. — Pierre est trop violent.

40 PHILIPPE. — Pauvre Pierre! comme le rouge lui est monté au front! comme il a frémi en t'écoutant raconter l'insulte faite à sa sœur! C'est moi qui suis un fou, car je t'ai laissé dire. Pierre se promenait par la chambre à grands pas, inquiet, furieux, la tête perdue; — il allait et il venait, comme moi 45 maintenant. Je le regardais en silence; c'est un si beau spectacle qu'un sang pur montant à un front sans reproche! O ma patrie! pensais-je, en voilà un, et c'est mon aîné. Ah! Léon, j'ai beau faire, je suis un Strozzi.

LE PRIEUR. — Il n'y a peut-être pas tant de danger que vous 50 le pensez. — C'est un grand hasard s'il rencontre Salviati ce soir. — Demain, nous verrons tous les choses plus sagement.

PHILIPPE. — N'en doute pas; Pierre le tuera, ou il se fera tuer. *(Il ouvre la fenêtre.)* Où sont-ils maintenant? Voilà la nuit; la ville se couvre de profondes ténèbres; ces rues sombres 55 me font horreur; — le sang coule quelque part; j'en suis sûr.

LE PRIEUR. — Calmez-vous.

PHILIPPE. — A la manière dont mon Pierre est sorti, je suis sûr qu'on ne le reverra que vengé ou mort. Je l'ai vu décrocher son épée en fronçant le sourcil; il se mordait les lèvres, et les 60 muscles de ses bras étaient tendus comme des arcs. Oui, oui, maintenant il meurt ou il est vengé, cela n'est pas douteux.

LE PRIEUR. — Remettez-vous, fermez cette fenêtre.

PHILIPPE. — Eh bien! Florence, apprends-la donc à tes pavés, la couleur de mon noble sang! Il y a quarante de tes fils qui 65 l'ont dans les veines. Et moi, le chef de cette famille immense, plus d'une fois encore ma tête blanche se penchera du haut de ces fenêtres, dans les angoisses paternelles! plus d'une fois ce sang, que tu bois peut-être à cette heure avec indifférence, séchera au soleil de tes places. Mais ne ris pas ce soir du vieux 70 Strozzi, qui a peur pour son enfant. Sois avare de sa famille, car il viendra un jour où tu la compteras, où tu te mettras avec lui à la fenêtre, et où le cœur te battra aussi lorsque tu entendras le bruit de nos épées.

LOUISE. — Mon père! mon père! vous me faites peur.

75 LE PRIEUR, *bas à Louise.* — N'est-ce pas Thomas qui rôde sous ces lanternes? Il m'a semblé le reconnaître à sa petite taille; le voilà parti.

PHILIPPE. — Pauvre ville! où les pères attendent ainsi le retour de leurs enfants! Pauvre patrie! pauvre patrie! Il y en a
80 bien d'autres à cette heure qui ont pris leurs manteaux et leurs épées pour s'enfoncer dans cette nuit obscure[1]; et ceux qui les attendent ne sont point inquiets; ils savent qu'ils mourront demain de misère, s'ils ne meurent de froid cette nuit. Et nous, dans ces palais somptueux, nous attendons[2] qu'on
85 nous insulte pour tirer nos épées! Le propos d'un ivrogne nous transporte de colère, et disperse dans ces sombres rues nos fils et nos amis! Mais les malheurs publics ne secouent pas la poussière de nos armes. On croit Philippe Strozzi un honnête homme, parce qu'il fait le bien sans empêcher le mal;
90 et maintenant, moi, père, que ne donnerais-je pas pour qu'il y eût au monde un être capable de me rendre mon fils et de punir juridiquement l'insulte faite à ma fille? Mais pourquoi empêcherait-on le mal qui m'arrive, quand je n'ai pas empêché celui qui arrive aux autres, moi qui en avais le pouvoir? Je
95 me suis courbé sur des livres, et j'ai rêvé pour ma patrie ce que j'admirais dans l'antiquité. Les murs criaient vengeance autour de moi, et je me bouchais les oreilles pour m'enfoncer dans mes méditations; il a fallu que la tyrannie vînt me frapper au visage pour me faire dire : Agissons! et ma vengeance a
100 des cheveux gris. *(Entrent Pierre avec Thomas et François Pazzi.)*

PIERRE. — C'est fait; Salviati est mort. *(Il embrasse sa sœur.)*

LOUISE. — Quelle horreur! tu es couvert de sang.

PIERRE. — Nous l'avons attendu au coin de la rue des Archers;
105 François a arrêté son cheval; Thomas l'a frappé à la jambe, et moi...

LOUISE. — Tais-toi! tais-toi! tu me fais frémir; tes yeux sortent de leurs orbites; tes mains sont hideuses; tout ton corps tremble et tu es pâle comme la mort.

---

1. Allusion aux bannis, qui vivaient dans des conditions misérables; 2. Ce verbe *attendre* est employé successivement avec trois nuances différentes. Dans le premier cas, il exprime l'inquiétude; dans le deuxième, au contraire, la sécurité : ceux qui sont menacés par les bannis savent que ces bannis n'arrivent pas jusqu'à eux. Dans le troisième cas, il s'agit d'une attente trop paisible au gré de Philippe.

110 LORENZO, *se levant.* — Tu es beau, Pierre; tu es grand comme la vengeance.

PIERRE. — Qui dit cela? Te voilà ici, toi, Lorenzaccio? *(Il s'approche de son père.)* Quand donc fermerez-vous votre porte à ce misérable? ne savez-vous donc pas ce que c'est, 115 sans compter l'histoire de son duel avec Maurice[1]?

PHILIPPE. — C'est bon; je sais tout cela : si Lorenzo est ici, c'est que j'ai de bonnes raisons pour l'y recevoir. Nous en parlerons en temps et lieu.

PIERRE, *entre ses dents.* — Hum? des raisons pour recevoir 120 cette canaille! Je pourrais bien en trouver un de ces matins une très bonne aussi pour le faire sauter par les fenêtres. Dites ce que vous voudrez, j'étouffe dans cette chambre de voir une pareille lèpre se traîner sur nos fauteuils.

PHILIPPE. — Allons! paix; tu es un écervelé! Dieu veuille 125 que ton coup de ce soir n'ait pas de mauvaises suites pour nous! Il faut commencer par te cacher.

PIERRE. — Me cacher! Et au nom de tous les saints, pourquoi me cacherais-je?

LORENZO, *à Thomas.* — En sorte que vous l'avez frappé à 130 l'épaule?... Dites-moi donc un peu... *(Il l'entraîne dans l'embrasure d'une fenêtre; tous deux s'entretiennent à voix basse.)*

PIERRE. — Non, mon père, je ne me cacherai pas. L'insulte a été publique, il nous l'a faite au milieu d'une place. Moi, je l'ai assommé au milieu d'une rue, et il me convient demain 135 matin de le raconter à toute la ville. Depuis quand se cache-t-on pour avoir vengé son honneur? Je me promènerais volontiers l'épée nue, et sans en essuyer une goutte de sang.

PHILIPPE. — Viens par ici, il faut que je te parle. Tu n'es pas blessé, mon enfant? tu n'as rien reçu dans tout cela? *(Ils* 140 *sortent.)*

1. Voir acte premier, scène IV.

QUESTIONS

● SCÈNE V. — La rivalité Strozzi-Salviati et la rivalité Capulet-Montaigu. — La façon dont Philippe conçoit l'honneur de sa famille et le sentiment paternel; comparez-le à la conception cornélienne de Don Diègue. — Imaginez les attitudes et les pensées de Lorenzo silencieux, couché sur un sofa, pendant la plus grande partie de la scène.

Phot. Lipnitzki.

« Pourquoi donc posez-vous à moitié nu ? »
(Acte II, scène VI, page 72.)
LE DUC (DANIEL IVERNEL) ET LORENZO (GÉRARD PHILIPE)
Théâtre national populaire (1953).

Phot. Lipnitzki.

« Réaliser des rêves, voilà la vie du peintre. »
(Acte II, scène II, page 51.)

LORENZO (MARGUERITE JAMOIS) ET TEBALDEO
Théâtre Montparnasse-Gaston Baty (1945).

SCÈNE VI.

Au palais du duc.

LE DUC, *à demi nu;* TEBALDEO, *faisant son portrait;* GIOMO *joue de la guitare.*

GIOMO, *chantant.*

Quand je mourrai, mon échanson,
Porte mon cœur à ma maîtresse;
Qu'elle envoie au diable la messe,
La prêtraille et les oraisons.
5 Les pleurs ne sont que de l'eau claire :
Dis-lui qu'elle éventre un tonneau;
Qu'on entonne un chœur sur ma bière.
J'y répondrai du fond de mon tombeau[1].

LE DUC. — Je savais bien que j'avais quelque chose à te
10 demander. Dis-moi, Hongrois[2], que t'avait donc fait ce garçon que je t'ai vu bâtonner d'une si joyeuse manière?

GIOMO. — Ma foi, je ne saurais le dire, ni lui non plus.

LE DUC. — Pourquoi? est-ce qu'il est mort?

GIOMO. — C'est un gamin d'une maison voisine; tout à
15 l'heure, en passant, il m'a semblé qu'on l'enterrait.

LE DUC. — Quand mon Giomo frappe, il frappe ferme.

GIOMO. — Cela vous plaît à dire; je vous ai vu tuer un homme d'un seul coup plus d'une fois.

LE DUC. — Tu crois! J'étais donc gris? Quand je suis en
20 pointe de gaieté, tous mes moindres coups sont mortels. *(A Tebaldeo.)* Qu'as-tu donc, petit? est-ce que la main te tremble? tu louches terriblement.

---

1. Le rythme et même le contenu de quelques vers évoquent de façon parodique le célèbre début du poème *Lucie* (1835) :

Mes chers amis quand je mourrai,
Plantez un saule au cimetière...

2. Voir Notice sur les personnages, page 19. Pour resserrer, Musset mélange intentionnellement deux faits vrais : Benvenuto Cellini atteste dans ses mémoires que Lorenzo assistait fréquemment aux séances de pose d'Alexandre. L'épisode de la cotte de mailles est authentique, mais a précédé d'un an le meurtre; il est ainsi raconté par Varchi : « Le duc Alexandre avait en outre une cotte de mailles d'une beauté et d'une qualité rares; il y tenait tant qu'il la portait constamment sur lui, et, plusieurs fois, il avait dit : *Si cette cotte de mailles ne m'allait pas si bien qu'elle ne me cause aucune fatigue, je n'irais pas armé, attendu que je n'en ai aucun besoin.* Lorenzo avait entendu ces paroles; un jour, le duc s'étant déshabillé pour changer de vêtements, il avait laissé cette cotte de mailles dans sa chambre sur son lit et était entré dans une chambre qui communiquait avec la sienne. Lorenzo, resté seul dans la première, prit la cotte de mailles, l'emporta hors du palais du duc et la jeta dans le puits de Seggio Capovano, voisin de là. »

TEBALDEO. — Rien, monseigneur, plaise à Votre Altesse. *(Entre Lorenzo.)*

25 LORENZO. — Cela avance-t-il? Etes-vous content de mon protégé? *(Il prend la cotte de mailles du duc sur le sofa.)* Vous avez là une jolie cotte de mailles, mignon! Mais cela doit être bien chaud.

LE DUC. — En vérité, si elle me gênait, je n'en porterais pas. 30 Mais c'est du fil d'acier; la lime la plus aiguë n'en pourrait ronger une maille, et en même temps c'est léger comme de la soie. Il n'y a peut-être pas la pareille dans toute l'Europe; aussi je ne la quitte guère; jamais, pour mieux dire.

LORENZO. — C'est très léger, mais très solide. Croyez-vous 35 cela à l'épreuve du stylet?

LE DUC. — Assurément.

LORENZO. — Au fait, j'y réfléchis à présent; vous la portez toujours sous votre pourpoint. L'autre jour, à la chasse, j'étais en croupe derrière vous, et en vous tenant à bras-le-corps, 40 je la sentais très bien. C'est une prudente habitude.

LE DUC. — Ce n'est pas que je me défie de personne; comme tu dis, c'est une habitude, — pure habitude de soldat.

LORENZO. — Votre habit est magnifique. Quel parfum que ces gants! pourquoi donc posez-vous à moitié nu? Cette cotte 45 de mailles aurait fait son effet dans votre portrait; vous avez eu tort de la quitter.

LE DUC. — C'est le peintre qui l'a voulu; cela vaut toujours mieux, d'ailleurs, de poser le col découvert : regarde les antiques[1].

50 LORENZO. — Où diable est ma guitare? Il faut que je fasse un second dessus[2] à Giomo. *(Il sort.)*

TEBALDEO. — Altesse, je n'en ferai pas davantage aujourd'hui.

GIOMO, *à la fenêtre.* — Que fait donc Lorenzo? Le voilà en contemplation devant le puits qui est au milieu du jardin : 55 ce n'est pas là, il me semble, qu'il devrait chercher sa guitare.

LE DUC. — Donne-moi mes habits. Où est donc ma cotte de mailles?

---

1. Le duc, malgré sa laideur, a collectionné ses portraits. Nous en connaissons au moins six, commandés par lui. Sur presque tous, il pose dans cette tenue; 2. *Second dessus :* partie supérieure d'un duo instrumental.

GIOMO. — Je ne la trouve pas; j'ai beau chercher : elle s'est envolée.

60 LE DUC. — Renzino la tenait il n'y a pas cinq minutes; il l'aura jetée dans un coin en s'en allant, selon sa louable coutume de paresseux.

GIOMO. — Cela est incroyable; pas plus de cotte de mailles que sur ma main.

65 LE DUC. — Allons, tu rêves! cela est impossible.

GIOMO. — Voyez vous-même, Altesse; la chambre n'est pas si grande!

LE DUC. — Renzo la tenait là, sur ce sofa. *(Rentre Lorenzo.)* Qu'as-tu donc fait de ma cotte? nous ne pouvons plus la trouver.

70 LORENZO. — Je l'ai remise où elle était. Attendez : non, je l'ai posée sur ce fauteuil; non, c'est sur le lit. Je n'en sais rien; mais j'ai trouvé ma guitare. *(Il chante en s'accompagnant.)*

Bonjour, madame l'abbesse...

GIOMO. — Dans le puits du jardin, apparemment? car vous 75 étiez penché dessus tout à l'heure d'un air tout à fait absorbé.

LORENZO. — Cracher dans un puits pour faire des ronds est mon grand bonheur. Après boire et dormir, je n'ai pas d'autre occupation. *(Il continue à jouer.)*

Bonjour, bonjour, abbesse de mon cœur.

80 LE DUC. — Cela est inouï que cette cotte se trouve perdue! Je crois que je ne l'ai pas ôtée deux fois dans ma vie, si ce n'est pour me coucher.

LORENZO. — Laissez donc, laissez donc. N'allez-vous pas faire un valet de chambre d'un fils de pape[1]? Vos gens la 85 trouveront.

LE DUC. — Que le diable t'emporte! c'est toi qui l'as égarée.

LORENZO. — Si j'étais duc de Florence, je m'inquiéterais d'autre chose que de mes cottes. A propos, j'ai parlé de vous à la chère tante. Tout est au mieux; venez donc vous asseoir 90 un peu ici que je vous parle à l'oreille.

GIOMO, *bas au duc.* — Cela est singulier, au moins; la cotte de mailles est enlevée.

---

1. Le duc lui-même, fils naturel présumé de Clément VII.

LE DUC. — On la retrouvera. *(Il s'assoit à côté de Lorenzo.)*

GIOMO, *à part.* — Quitter la compagnie pour aller cracher
95 dans le puits, cela n'est pas naturel. Je voudrais retrouver cette cotte de mailles, pour m'ôter de la tête une vieille idée qui se rouille de temps en temps. Bah! un Lorenzaccio! La cotte est sur quelque fauteuil.

SCÈNE VII.

Devant le palais.

Entre SALVIATI, *couvert de sang et boitant; deux hommes le soutiennent.*

SALVIATI, *criant.* — Alexandre de Médicis! ouvre ta fenêtre, et regarde un peu comme on traite tes serviteurs!

LE DUC, *à la fenêtre.* — Qui est là dans la boue? Qui se traîne aux murs de mon palais avec ces cris épouvantables?

5 SALVIATI. — Les Strozzi m'ont assassiné; je vais mourir à ta porte.

LE DUC. — Lesquels des Strozzi, et pourquoi?

SALVIATI. — Parce que j'ai dit que leur sœur était amoureuse de toi, mon noble duc. Les Strozzi ont trouvé leur sœur insultée
10 parce que j'ai dit que tu lui plaisais; trois d'entre eux m'ont assassiné. J'ai reconnu Pierre et Thomas; je ne connais pas le troisième.

LE DUC. — Fais-toi monter ici; par Hercule! les meurtriers passeront la nuit en prison, et on les pendra demain matin.
15 *(Salviati entre dans le palais.)*

QUESTIONS

● SCÈNE VI. — Comment Musset a-t-il rendu acceptable le vol un peu mélodramatique de la cotte de mailles?

— Au cours de cette scène, le caractère d'Alexandre semble plus nuancé : vous en dégagerez les divers éléments.

— Le jeu de Lorenzo : pourquoi attire-t-il d'abord l'attention sur la cotte de mailles? Par quels détours successifs élude-t-il ensuite les questions du duc?

— Le rôle de Giomo : comparez-le à celui du cardinal Cibo à la scène IV de l'acte premier.

● SCÈNE VII. — Pourquoi cette scène en conclusion du deuxième acte?

■ SUR L'ENSEMBLE DE L'ACTE II. — Composition de l'acte; comparez-la à celle de l'acte premier. Pourquoi les scènes de foule ont-elles disparu?

— Les différents plans de l'action (les Strozzi, les Cibo, Lorenzo); leur marche parallèle. Comment se précise peu à peu le projet de Lorenzo?

ACTE III

SCÈNE PREMIÈRE

La chambre à coucher de Lorenzo.

LORENZO, SCORONCONCOLO, *faisant des armes.*

SCORONCONCOLO. — Maître, as-tu assez du jeu[1]?

LORENZO. — Non; crie plus fort. Tiens, pare celle-ci! tiens, meurs! tiens, misérable!

SCORONCONCOLO. — A l'assassin! on me tue! on me coupe
5 la gorge!

LORENZO. — Meurs! meurs! meurs! — Frappe donc du pied.

SCORONCONCOLO. — A moi, mes archers! au secours! on me tue! Lorenzo de l'enfer!

LORENZO. — Meurs, infâme! Je te saignerai, pourceau, je
10 te saignerai! Au cœur, au cœur! il est éventré. — Crie donc, frappe donc, tue donc! Ouvre-lui les entrailles! Coupons-le par morceaux, et mangeons, mangeons! J'en ai jusqu'au coude. Fouille dans la gorge, roule-le, roule! Mordons, mordons, et mangeons! *(Il tombe épuisé.)*

15 SCORONCONCOLO, *s'essuyant le front.* — Tu as inventé un rude jeu, maître, et tu y vas en vrai tigre; mille millions de tonnerres! tu rugis comme une caverne pleine de panthères et de lions.

LORENZO. — O jour de sang, jour de mes noces! O soleil!
20 soleil! il y a assez longtemps que tu es sec comme le plomb[2]; tu te meurs de soif, soleil! son sang t'enivrera. O ma vengeance! qu'il y a longtemps que tes ongles poussent! O dents d'Ugolin[3]! il vous faut le crâne, le crâne!

SCORONCONCOLO. — Es-tu en délire? As-tu la fièvre?

25 LORENZO. — Lâche, lâche, — ruffian, — le petit maigre[4],

---

1. Comme nous le verrons plus loin, Lorenzo simule la folie (souvenir de Hamlet) pour pouvoir s'entraîner au meurtre du duc sans éveiller les soupçons; **2.** Dans cet accès de folie un peu laborieux, Lorenzo réunit la sécheresse, le soleil « de plomb » et le sang de son adversaire imaginaire qui doit désaltérer le soleil; **3.** *Ugolin della Gherardesca :* tyran de Pise du parti gibelin. Il fut jeté dans une tour avec ses enfants et privé de nourriture. Dante, dans *la Divine Comédie*, suppose qu'il dévora ses enfants; **4.** *Maigre*, c'est la façon dont on le désigne lui-même. La suite des idées est volontairement obscure. En partant de sa personne, Lorenzo passe aux séparations et aux exils qu'on lui attribue.

les pères, les filles, — des adieux, des adieux sans fin, — les rives de l'Arno pleines d'adieux! — les gamins l'écrivent[1] sur les murs. — Ris, vieillard[2], ris dans ton bonnet blanc; — tu ne vois pas que mes ongles poussent? — Ah! le crâne! le crâne.
30 *(Il s'évanouit.)*

SCORONCONCOLO. — Maître, tu as un ennemi. *(Il lui jette de l'eau à la figure.)* Allons! maître, ce n'est pas la peine de tant te démener. On a des sentiments élevés ou on n'en a pas; je n'oublierai jamais que tu m'as fait avoir une certaine grâce
35 sans laquelle je serais loin. Maître, si tu as un ennemi, dis-le, je t'en débarrasserai sans qu'il y paraisse autrement.

LORENZO. — Ce n'est rien; je te dis que mon seul plaisir est de faire peur à mes voisins.

SCORONCONCOLO. — Depuis que nous trépignons dans cette
40 chambre, et que nous y mettons tout à l'envers, ils doivent être bien accoutumés à notre tapage. Je crois que tu pourrais égorger trente hommes dans ce corridor et les rouler sur ton plancher, sans qu'on s'aperçût dans la maison qu'il s'y passe du nouveau. Si tu veux faire peur aux voisins, tu t'y prends mal.
45 Ils ont eu peur la première fois, c'est vrai; mais maintenant ils se contentent d'enrager et ne s'en mettent pas en peine jusqu'au point de quitter leurs fauteuils ou d'ouvrir leurs fenêtres.

LORENZO. — Tu crois?

50 SCORONCONCOLO. — Tu as un ennemi, maître. Ne t'ai-je pas vu frapper du pied la terre, et maudire le jour de ta naissance? N'ai-je pas des oreilles? Et, au milieu de tes fureurs, n'ai-je pas entendu résonner distinctement un petit mot bien net : la vengeance? Tiens, maître, crois-moi, tu maigris :
55 — tu n'as plus le mot pour rire comme devant; — crois-moi, il n'y a rien de si mauvaise digestion qu'une bonne haine. Est-ce que sur deux hommes au soleil il n'y en a pas toujours un dont l'ombre gêne l'autre? Ton médecin est dans ma gaine; laisse-moi te guérir. *(Il tire son épée.)*

60 LORENZO. — Ce médecin-là t'a-t-il jamais guéri, toi?

SCORONCONCOLO. — Quatre ou cinq fois. Il y avait un jour à Padoue une petite demoiselle qui me disait...

---

1. Ecrivent que Lorenzo est un lâche; 2. Nouvelle allusion à Ugolin. Le bonnet blanc était l'insigne des Gibelins.

LORENZO. — Montre-moi cette épée. Ah! garçon, c'est une brave lame.

65 SCORONCONCOLO. — Essaye-la et tu verras.

LORENZO. — Tu as deviné mon mal, j'ai un ennemi. Mais pour lui je ne me servirai pas d'une épée qui ait servi pour d'autres. Celle qui le tuera n'aura ici-bas qu'un baptême[1], elle gardera son nom.

70 SCORONCONCOLO. — Quel est le nom de l'homme?

LORENZO. — Qu'importe? M'es-tu dévoué?

SCORONCONCOLO. — Pour toi, je remettrais le Christ en croix.

LORENZO. — Je te le dis en confidence, — je ferai le coup dans cette chambre; et c'est précisément pour que mes chers 75 voisins ne s'en étonnent pas, que je les accoutume à ce bruit de tous les jours. Écoute bien, et ne te trompe pas. Si je l'abats du premier coup, ne t'avise pas d'y toucher. Mais je ne suis pas plus gros qu'une puce, et c'est un sanglier. S'il se défend, je compte sur toi pour lui tenir les mains; rien de plus, entends-80 tu? c'est à moi qu'il appartient. Je t'avertirai en temps et lieu.

SCORONCONCOLO. — Amen!

SCÈNE II.

Au palais Strozzi.

Entrent PHILIPPE *et* PIERRE.

PIERRE. — Quand je pense à cela, j'ai envie de me couper la main droite. Avoir manqué cette canaille! Un coup si juste, et l'avoir manqué! A qui n'était-ce pas rendre service que de faire dire aux gens : Il y a un Salviati de moins dans les rues? 5 Mais le drôle a fait comme les araignées, — il s'est laissé tomber en repliant ses pattes crochues, et il a fait le mort de peur d'être achevé.

PHILIPPE. — Que t'importe qu'il vive? ta vengeance n'en

1. C'est dire à mots couverts que l'épée ne servira jamais à autre chose qu'au meurtre d'Alexandre.

QUESTIONS

● SCÈNE PREMIÈRE. — En quoi consiste le « jeu »?
— Quelle est la part de réalité dans le délire de Lorenzo? — Expliquez les associations d'idées de Lorenzo.
— L'habileté dramatique et psychologique de la dernière tirade de Lorenzo.
— Dans quelle mesure Scoronconcolo est-il dupe?

est que plus complète. On le dit blessé de telle manière, qu'il
10 s'en souviendra toute sa vie.

PIERRE. — Oui, je le sais bien; voilà comme vous voyez les choses. Tenez, mon père, vous êtes bon patriote, mais encore meilleur père de famille : ne vous mêlez pas de tout cela.

PHILIPPE. — Qu'as-tu encore en tête? Ne saurais-tu vivre
15 un quart d'heure sans penser à mal?

PIERRE. — Non, par l'enfer, je ne saurais vivre un quart d'heure tranquille dans cet air empoisonné. Le ciel me pèse sur la tête comme une voûte de prison, et il me semble que je respire dans les rues des quolibets et des hoquets d'ivrognes.
20 Adieu, j'ai affaire à présent.

PHILIPPE. — Où vas-tu?

PIERRE. — Pourquoi voulez-vous le savoir? Je vais chez les Pazzi.

PHILIPPE. — Attends-moi donc, car j'y vais aussi.

25 PIERRE. — Pas à présent, mon père; ce n'est pas un bon moment pour vous.

PHILIPPE. — Parle-moi franchement.

PIERRE. — Cela est entre nous. Nous sommes là une cinquantaine, les Rucellai et d'autres, qui ne portons pas le bâtard
30 dans nos entrailles.

PHILIPPE. — Ainsi donc?

PIERRE. — Ainsi donc les avalanches se font quelquefois au moyen d'un caillou gros comme le bout du doigt.

PHILIPPE. — Mais vous n'avez rien d'arrêté? pas de plan?
35 pas de mesures prises? O enfants, enfants! jouer avec la vie et la mort! Des questions qui ont remué le monde! des idées qui ont blanchi des milliers de têtes, et qui les ont fait rouler comme des grains de sable sur les pieds du bourreau! des projets que la Providence elle-même regarde en silence et avec
40 terreur et qu'elle laisse achever à l'homme, sans oser y toucher! Vous parlez de tout cela en faisant des armes et en buvant un verre de vin d'Espagne, comme s'il s'agissait d'un cheval ou d'une mascarade! Savez-vous ce que c'est qu'une république? que l'artisan au fond de son atelier, que le laboureur dans son
45 champ, que le citoyen sur la place, que la vie entière d'un

royaume? le bonheur des hommes, Dieu de justice! O enfants, enfants! savez-vous compter sur vos doigts[1]?

PIERRE. — Un bon coup de lancette guérit tous les maux.

PHILIPPE. — Guérir! guérir! Savez-vous que le plus petit
50 coup de lancette doit être donné par le médecin? Savez-vous qu'il faut une expérience longue comme la vie, et une science grande comme le monde, pour tirer du bras d'un malade une goutte de sang? N'étais-je pas offensé aussi, la nuit dernière, lorsque tu avais mis ton épée nue sous ton manteau?
55 Ne suis-je pas le père de ma Louise, comme tu es son frère? N'était-ce pas une juste vengeance? Et cependant sais-tu ce qu'elle m'a coûté? Ah! les pères savent cela, mais non les enfants. Si tu es père un jour, nous en parlerons.

PIERRE. — Vous qui savez aimer, vous devriez savoir haïr.

60 PHILIPPE. — Qu'ont donc fait à Dieu ces Pazzi? Ils invitent leurs amis à venir conspirer, comme on invite à jouer aux dés, et leurs amis, en entrant dans leur cour, glissent dans le sang de leurs grands-pères[2]. Quelle soif ont donc leurs épées? Que voulez-vous donc, que voulez-vous?

65 PIERRE. — Et pourquoi vous démentir vous-même? Ne vous ai-je pas entendu cent fois dire ce que nous disons? Ne savons-nous pas ce qui vous occupe, quand vos domestiques voient à leur lever vos fenêtres éclairées des flambeaux de la veille? Ceux qui passent les nuits sans dormir ne meurent pas silencieux.

70 PHILIPPE. — Où en viendrez-vous? réponds-moi.

PIERRE. — Les Médicis sont une peste. Celui qui est mordu par un serpent n'a que faire d'un médecin; il n'a qu'à se brûler la plaie.

PHILIPPE. — Et quand vous aurez renversé ce qui est, que
75 voulez-vous mettre à la place?

PIERRE. — Nous sommes toujours sûrs de ne pas trouver pire.

PHILIPPE. — Je vous le dis, comptez sur vos doigts.

PIERRE. — Les têtes d'une hydre[3] sont faciles à compter.

1. Allusions transparentes au parti républicain sous la monarchie de Juillet. L'expression *compter sur vos doigts* semble désigner ici tout calcul élémentaire, même s'il ne porte pas sur de très petits nombres; 2. Une note de Musset lui-même renvoie à la conspiration des Pazzi (1478). Les conjurés avaient projeté de tuer Laurent le Magnifique; seul Julien de Médicis fut assassiné. La plupart des Pazzi furent exécutés ou massacrés. Musset s'est vraisemblablement inspiré ici du dramaturge italien Alfieri (1749-1803), qui avait écrit, en 1789, une tragédie sur cette conspiration. *Leurs grands-pères* désigne donc ceux des Pazzi et non ceux de leurs visiteurs; 3. C'est à dessein que Musset prête à Pierre une métaphore mal choisie. De même que les têtes de la fameuse hydre de Lerne repoussaient plus nombreuses quand on les coupait, de même d'autres Médicis se trouveront là, même si on arrive à tuer Alexandre.

PHILIPPE. — Et vous voulez agir? cela est décidé?

80 PIERRE. — Nous voulons couper les jarrets aux meurtriers de Florence.

PHILIPPE. — Cela est irrévocable? vous voulez agir?

PIERRE. — Adieu, mon père; laissez-moi aller seul.

PHILIPPE. — Depuis quand le vieil aigle reste-t-il dans le 85 nid, quand ses aiglons vont à la curée? O mes enfants! ma brave et belle jeunesse! vous qui avez la force que j'ai perdue, vous qui êtes aujourd'hui ce qu'était le jeune Philippe, laissez-le avoir vieilli pour vous! Emmène-moi, mon fils, je vois que vous allez agir. Je ne vous ferai pas de long discours, je ne dirai 90 que quelques mots; il peut y avoir quelque chose de bon dans cette tête grise : deux mots, et ce sera fait. Je ne radote pas encore; je ne vous serai pas à charge; ne pars pas sans moi, mon enfant; attends que je prenne mon manteau.

PIERRE. — Venez, mon noble père; nous baiserons le bas de 95 votre robe. Vous êtes notre patriarche, venez voir marcher au soleil les rêves de votre vie. La liberté est mûre; venez, vieux jardinier de Florence, voir sortir de terre la plante que vous aimez. *(Ils sortent.)*

SCÈNE III.

Une rue.

UN OFFICIER ALLEMAND *et des soldats;* THOMAS STROZZI, *au milieu d'eux.*

L'OFFICIER. — Si nous ne le[1] trouvons pas chez lui, nous le trouverons chez les Pazzi[2].

THOMAS. — Va ton train, et ne sois pas en peine; tu sauras ce qu'il en coûte.

1. Pierre Strozzi, recherché comme son frère pour le meurtre de Julien Salviati (II, VII);
2. Sur les Pazzi, voir page 19, note 1 et page 80, note 2.

QUESTIONS

● SCÈNE II. — A quoi correspond le langage imagé du père et du fils? A-t-il le même rôle dans les deux cas? Le problème de l'action politique à travers ce dialogue : comment, malgré l'opposition née de leur caractère et de leur différence d'âge, le père et le fils finissent-ils par se trouver d'accord?

— Quelle est la part de la parodie dans les discours humanistes de Philippe?

— Les contrastes entre cette scène, celle qui la précède et celle qui la suit dans le rythme, dans le décor.

5 L'OFFICIER. — Pas de menace; j'exécute les ordres du duc, et n'ai rien à souffrir de personne.

THOMAS. — Imbécile! qui arrêtes un Strozzi sur la parole d'un Médicis! *(Il se forme un groupe autour d'eux.)*

UN BOURGEOIS. — Pourquoi arrêtez-vous ce seigneur? nous
10 le connaissons bien, c'est le fils de Philippe.

UN AUTRE. — Lâchez-le; nous répondons pour lui.

LE PREMIER. — Oui, oui, nous répondons pour les Strozzi. Laisse-le aller, ou prends garde à tes oreilles.

L'OFFICIER. — Hors de là, canaille! Laissez passer la justice
15 du duc, si vous n'aimez pas les coups de hallebarde. *(Pierre et Philippe arrivent.)*

PIERRE. — Qu'y a-t-il? quel est ce tapage? Que fais-tu là, Thomas?

LE BOURGEOIS. — Empêche-le, Philippe, empêche-le d'em-
20 mener ton fils en prison.

PHILIPPE. — En prison? et sur quel ordre?

PIERRE. — En prison? sais-tu à qui tu as affaire?

L'OFFICIER. — Qu'on saisisse cet homme! *(Les soldats arrêtent Pierre.)*

25 PIERRE. — Lâchez-moi, misérables, ou je vous éventre comme des pourceaux!

PHILIPPE. — Sur quel ordre, agissez-vous, monsieur?

L'OFFICIER, *montrant l'ordre du duc.* — Voilà mon mandat. J'ai ordre d'arrêter Pierre et Thomas Strozzi. *(Les soldats*
30 *repoussent le peuple, qui leur jette des cailloux.)*

PIERRE. — De quoi nous accuse-t-on? qu'avons-nous fait? Aidez-moi, mes amis; rossons cette canaille. *(Il tire son épée. Un autre détachement de soldats arrive.)*

L'OFFICIER. — Venez ici; prêtez-moi main-forte. *(Pierre est*
35 *désarmé.)* En marche! et le premier qui approche de trop près, un coup de pique dans le ventre! Cela leur apprendra à se mêler de leurs affaires.

PIERRE. — On n'a pas le droit de m'arrêter sans un ordre des Huit[1]. Je me soucie des ordres d'Alexandre! Où est l'ordre
40 des Huit?

---

1. *Huit.* Voir Notice sur les personnages, page 19, note 5; c'était la seule juridiction habilitée à s'occuper des affaires politiques.

L'OFFICIER. — C'est devant eux que nous vous menons.

PIERRE. — Si c'est devant eux, je n'ai rien à dire. De quoi suis-je accusé?

UN HOMME DU PEUPLE. — Comment, Philippe, tu laisses
45 emmener tes enfants au tribunal des Huit!

PIERRE. — Répondez donc, de quoi suis-je accusé?

L'OFFICIER. — Cela ne me regarde pas. *(Les soldats sortent avec Pierre et Thomas.)*

PIERRE, *en sortant.* — N'ayez aucune inquiétude, mon père;
50 les Huit me renverront souper à la maison, et le bâtard en sera pour ses frais de justice[1].

PHILIPPE, *seul, s'asseyant sur un banc.* — J'ai beaucoup d'enfants, mais pas pour longtemps, si cela va si vite. Où en sommes-nous donc si une vengeance aussi juste que le ciel
55 que voilà est clair est punie comme un crime! Eh quoi! les deux aînés d'une famille vieille comme la ville emprisonnés comme des voleurs de grand chemin! la plus grossière insulte châtiée, un Salviati frappé, et des hallebardes en jeu! Sors donc du fourreau, mon épée. Si le saint appareil des exécu-
60 tions judiciaires devient la cuirasse des ruffians et des ivrognes, que la hache et le poignard, cette arme des assassins, protègent l'homme de bien. O Christ! l'honneur des Strozzi souffleté en place publique, et un tribunal répondant des quolibets d'un rustre! Un Salviati jetant à la plus noble famille de Flo-
65 rence son gant taché de vin et de sang, et, lorsqu'on le châtie, tirant pour se défendre le coupe-tête du bourreau! Lumière du soleil! j'ai parlé, il n'y a pas un quart d'heure, contre les idées de révolte, et voilà le pain qu'on me donne à manger, avec mes paroles de paix sur les lèvres! Allons! mes bras,
70 remuez! et toi, vieux corps courbé par l'âge et par l'étude, redresse-toi pour l'action[2]! *(Entre Lorenzo.)*

LORENZO. — Demandes-tu l'aumône, Philippe, assis au coin de cette rue?

PHILIPPE. — Je demande l'aumône à la justice des hommes;
75 je suis un mendiant affamé de justice, et mon honneur est en haillons.

---

1. De fait, Alexandre n'obtint pas de condamnation contre Pierre Strozzi, comme il le souhaitait; et la prédiction de Pierre se trouvera vérifiée (IV, II); 2. Réminiscences du monologue de don Diègue (*le Cid*, I, IV).

LORENZO. — Quel changement va donc s'opérer dans le monde, et quelle nouvelle robe va revêtir la nature, si le masque de la colère s'est posé sur le visage auguste et paisible du vieux
80 Philippe? O mon père! quelles sont ces plaintes? pour qui répands-tu sur la terre les joyaux les plus précieux qu'il y ait sous le soleil, les larmes d'un homme sans peur et sans reproche?

PHILIPPE. — Il faut nous délivrer des Médicis, Lorenzo. Tu es un Médicis toi-même, mais seulement par ton nom;
85 si je t'ai bien connu, si la hideuse comédie que tu joues m'a trouvé impassible et fidèle spectateur, que l'homme sorte de l'histrion. Si tu as jamais été quelque chose d'honnête, sois-le aujourd'hui. Pierre et Thomas sont en prison.

LORENZO. — Oui, oui, je sais cela.

90 PHILIPPE. — Est-ce là ta réponse? Est-ce là ton visage, homme sans épée?

LORENZO. — Que veux-tu? dis-le, et tu auras alors ma réponse.

PHILIPPE. — Agir! comment? je n'en sais rien. Quel moyen employer, quel levier mettre sous cette citadelle[1] de mort,
95 pour la soulever et la pousser dans le fleuve? Quoi faire, que résoudre, quels hommes aller trouver? Je ne puis le savoir encore. Mais agir, agir, agir! O Lorenzo! le temps est venu. N'es-tu pas diffamé, traité de chien et de sans cœur? Si j'ai tenu en dépit de tout ma porte ouverte, ma main ouverte,
100 mon cœur ouvert, parle, et que je voie si je me suis trompé. Ne m'as-tu pas parlé d'un homme qui s'appelle aussi Lorenzo, et qui se cache derrière le Lorenzo que voilà? Cet homme n'aime-t-il pas sa patrie, n'est-il pas dévoué à ses amis? Tu le disais, et je l'ai cru. Parle, parle, le temps est venu.

105 LORENZO. — Si je ne suis pas tel que vous le désirez, que le soleil me tombe sur la tête!

PHILIPPE. — Ami, rire d'un vieillard désespéré, cela porte malheur; si tu dis vrai, à l'action! J'ai de toi des promesses qui engageraient Dieu lui-même, et c'est sur ces promesses
110 que je t'ai reçu. Le rôle que tu joues est un rôle de boue et de lèpre, tel que l'enfant prodigue ne l'aurait pas joué dans un jour de démence, et cependant je t'ai reçu. Quand les pierres criaient[2] à ton passage, quand chacun de tes pas faisait jaillir

1. Celle qui avait été construite pour héberger la garnison allemande de Charles Quint (voir I, II, page 26 et note 3); 2. Les pierres de Florence, pour dénoncer un de leurs ennemis.

des mares de sang humain, je t'ai appelé du nom sacré d'ami,
115 je me suis fait sourd pour te croire, aveugle pour t'aimer; j'ai laissé l'ombre de ta mauvaise réputation passer sur mon honneur, et mes enfants ont douté de moi en trouvant sur ma main la trace hideuse du contact de la tienne. Sois honnête, car je l'ai été; agis, car tu es jeune, et je suis vieux.

120 LORENZO. — Pierre et Thomas sont en prison; est-ce là tout?

PHILIPPE. — O ciel et terre! oui, c'est là tout. Presque rien, deux enfants de mes entrailles qui vont s'asseoir au banc des voleurs. Deux têtes que j'ai baisées autant de fois que j'ai de cheveux gris, et que je vais trouver demain matin clouées
125 sur la porte de la forteresse; oui, c'est là tout, rien de plus, en vérité.

LORENZO. — Ne me parle pas sur ce ton : je suis rongé d'une tristesse auprès de laquelle la nuit la plus sombre est une lumière éblouissante. *(Il s'assied près de Philippe.)*

130 PHILIPPE. — Que je laisse mourir mes enfants, cela est impossible, vois-tu? On m'arracherait les bras et les jambes que, comme le serpent, les morceaux mutilés de Philippe se rejoindraient encore et se lèveraient pour la vengeance[1]. Je connais si bien tout cela! Les Huit! un tribunal d'hommes de marbre!
135 une forêt de spectres, sur laquelle passe de temps en temps le vent lugubre du doute qui les agite pendant une minute, pour se résoudre en un mot sans appel. Un mot, un mot, ô conscience! Ces hommes-là mangent, ils dorment, ils ont des femmes et des filles! Ah! qu'ils tuent et qu'ils égorgent, mais pas mes
140 enfants, pas mes enfants.

LORENZO. — Pierre est un homme : il parlera, et il sera mis en liberté.

PHILIPPE. — O mon Pierre, mon premier-né!

LORENZO. — Rentrez chez vous, tenez-vous tranquille; ou
145 faites mieux, quittez Florence. Je vous réponds de tout si vous quittez Florence.

PHILIPPE. — Moi, un banni! moi dans un lit d'auberge, à mon heure dernière! O Dieu! et tout cela pour une parole d'un Salviati!

150 LORENZO. — Sachez-le, Salviati voulait séduire votre fille,

---

1. Comparaison bizarre. Bien entendu, les morceaux de serpents ne se rejoignent pas, mais les tronçons de certains invertébrés annelés (vers de terre) continuent à vivre.

mais non pas pour lui seul. Alexandre a un pied dans le lit de cet homme; il y exerce le droit du seigneur sur la prostitution.

PHILIPPE. — Et nous n'agirions pas! O Lorenzo, Lorenzo! tu es un homme ferme, toi; parle-moi, je suis faible et mon
155 cœur est trop intéressé dans tout cela. Je m'épuise, vois-tu! J'ai trop réfléchi ici-bas; j'ai trop tourné sur moi-même, comme un cheval de pressoir; je ne vaux plus rien pour la bataille. Dis-moi ce que tu penses; je le ferai.

LORENZO. — Rentrez chez vous, mon bon monsieur.

160 PHILIPPE. — Voilà qui est certain, je vais aller chez les Pazzi; là sont cinquante jeunes gens tous déterminés. Ils ont juré d'agir; je leur parlerai noblement, comme un Strozzi et comme un père, et ils m'entendront. Ce soir, j'inviterai à souper les quarante membres de ma famille; je leur raconterai ce qui
165 m'arrive. Nous verrons, nous verrons! rien n'est encore fait. Que les Médicis prennent garde à eux! Adieu, je vais chez les Pazzi; aussi bien, j'y allais avec Pierre, quand on l'a arrêté.

LORENZO. — Il y a plusieurs démons, Philippe; celui qui te tente en ce moment n'est pas le moins à craindre de tous.

170 PHILIPPE. — Que veux-tu dire?

LORENZO. — Prends-y garde, c'est un démon plus beau que Gabriel[1]; la liberté, la patrie, le bonheur des hommes, tous ces mots résonnent à son approche comme les cordes d'une lyre; c'est le bruit des écailles d'argent de ses ailes flamboyantes.
175 Les larmes de ses yeux fécondent la terre, et il tient à la main la palme des martyrs. Ses paroles épurent l'air autour de ses lèvres; son vol est si rapide que nul ne peut dire où il va. Prends-y garde! une fois dans ma vie je l'ai vu traverser les cieux. J'étais courbé sur mes livres; le toucher de sa main a fait frémir mes
180 cheveux comme une plume légère. Que je l'aie écouté ou non, n'en parlons pas.

PHILIPPE. — Je ne te comprends qu'avec peine, et je ne sais pourquoi j'ai peur de te comprendre.

LORENZO. — N'avez-vous dans la tête que cela : délivrer
185 vos fils? Mettez la main sur la conscience; quelque autre pensée plus vaste, plus terrible, ne vous entraîne-t-elle pas comme un chariot étourdissant au milieu de cette jeunesse?

1. L'archange *Gabriel*, qui vint annoncer à la Vierge la venue du Christ. Ce *démon*, c'est celui du dévouement aux autres hommes.

PHILIPPE. — Eh bien! oui, que l'injustice faite à ma famille soit le signal de la liberté. Pour moi, et pour tous, j'irai!

190 LORENZO. — Prends garde à toi, Philippe, tu as pensé au bonheur de l'humanité.

PHILIPPE. — Que veut dire ceci? Es-tu dedans comme au-dehors une vapeur infecte? Toi qui m'as parlé d'une liqueur précieuse dont tu étais le flacon, est-ce là ce que tu renfermes?

195 LORENZO. — Je suis en effet précieux pour vous, car je tuerai Alexandre.

PHILIPPE. — Toi?

LORENZO. — Moi, demain ou après-demain. Rentrez chez vous, tâchez de délivrer vos enfants; si vous ne le pouvez 200 pas, laissez-leur subir une légère punition; je sais pertinemment qu'il n'y a pas d'autres dangers pour eux, et je vous répète que d'ici à quelques jours il n'y aura pas plus d'Alexandre de Médicis à Florence qu'il n'y a de soleil à minuit.

PHILIPPE. — Quand cela serait vrai, pourquoi aurais-je tort 205 de penser à la liberté? Ne viendra-t-elle pas quand tu auras fait ton coup[1], si tu le fais?

LORENZO. — Philippe, Philippe, prends garde à toi. Tu as soixante ans de vertu sur ta tête grise; c'est un enjeu trop cher pour le jouer aux dés[2].

210 PHILIPPE. — Si tu caches sous ces sombres paroles quelque chose que je puisse entendre, parle; tu m'irrites singulièrement.

LORENZO. — Tel que tu me vois, Philippe, j'ai été honnête. J'ai cru à la vertu, à la grandeur humaine, comme un martyr croit à son Dieu. J'ai versé plus de larmes sur la pauvre Italie 215 que Niobé sur ses filles[3].

PHILIPPE. — Eh bien, Lorenzo?

LORENZO. — Ma jeunesse a été pure comme l'or. Pendant vingt ans de silence, la foudre s'est amoncelée dans ma poitrine; et il faut que je sois réellement une étincelle du tonnerre, 220 car tout à coup, une certaine nuit que j'étais assis dans les

---

1. L'expression garde son sens noble du vocabulaire classique; 2. En se risquant dans une conspiration qui peut ne pas réussir; 3. *Niobé*, mère de quatre enfants, s'était moquée de Léto, qui n'en avait que deux, Apollon et Artémis. Ceux-ci vengèrent leur mère en tuant à coups de flèches les enfants de Niobé. Zeus, touché de sa douleur maternelle, la changea en rocher, mais une source jaillit, montrant que Niobé continuait à pleurer. Les réminiscences humanistes multipliées dans la scène sont tout à fait conformes aux caractères authentiques des deux interlocuteurs.

ruines du Colisée[1] antique, je ne sais pourquoi je me levai; je tendis vers le ciel mes bras trempés de rosée, et je jurai qu'un des tyrans de la patrie mourrait de ma main. J'étais un étudiant paisible, je ne m'occupais alors que des arts et des sciences,
225 et il m'est impossible de dire comment cet étrange serment s'est fait en moi. Peut-être est-ce là ce qu'on éprouve quand on devient amoureux.

PHILIPPE. — J'ai toujours eu confiance en toi, et cependant je crois rêver.

230 LORENZO. — Et moi aussi. J'étais heureux alors; j'avais le cœur et les mains tranquilles; mon nom m'appelait au trône[2], et je n'avais qu'à laisser le soleil se lever et se coucher pour voir fleurir autour de moi toutes les espérances humaines. Les hommes ne m'avaient fait ni bien ni mal; mais j'étais bon,
235 et, pour mon malheur éternel, j'ai voulu être grand. Il faut que je l'avoue : si la Providence m'a poussé à la résolution de tuer un tyran, quel qu'il fût, l'orgueil m'y a poussé aussi. Que te dirais-je de plus? Tous les Césars du monde me faisaient penser à Brutus[3].

240 PHILIPPE. — L'orgueil de la vertu est un noble orgueil. Pourquoi t'en défendrais-tu?

LORENZO. — Tu ne sauras jamais, à moins d'être fou, de quelle nature est la pensée qui m'a travaillé. Pour comprendre l'exaltation fiévreuse qui a enfanté en moi le Lorenzo qui te
245 parle, il faudrait que mon cerveau et mes entrailles fussent à nu sous un scalpel. Une statue qui descendrait de son piédestal pour marcher parmi les hommes sur la place publique serait peut-être semblable à ce que j'ai été le jour où j'ai commencé à vivre avec cette idée : il faut que je sois un Brutus.

250 PHILIPPE. — Tu m'étonnes de plus en plus.

LORENZO. — J'ai voulu d'abord tuer Clément VII[4], je n'ai pas pu le faire parce qu'on m'a banni de Rome avant le temps. J'ai recommencé mon ouvrage avec Alexandre. Je voulais

---

1. *Colisée* : l'immense amphithéâtre construit sous Vespasien et achevé sous Titus, qui pouvait contenir 80 000 spectateurs. Il en reste des vestiges très nombreux et assez bien conservés. Ces méditations dans les ruines sont l'héritage du romantisme de Chateaubriand; 2. Médicis lui-même et légitime, Lorenzo était un prétendant au duché de Florence beaucoup plus normal qu'Alexandre; 3. On a déjà vu (II, IV, page 62, note 2) que Musset mélangeait volontiers les deux Brutus; 4. *Clément VII*, pape de 1523 à 1534, avait, comme Alexandre, soulevé l'indignation publique. Lorenzo s'était attaché à lui (plus par ambition personnelle, semble-t-il, que par désir de meurtre), mais il fut banni de Rome en 1534. (Voir page 34, note 1.)

agir seul, sans le secours d'aucun homme. Je travaillais pour
255 l'humanité; mais mon orgueil restait solitaire au milieu de
tous mes rêves philanthropiques. Il fallait donc entamer par
la ruse un combat singulier avec mon ennemi. Je ne voulais
pas soulever les masses, ni conquérir la gloire bavarde d'un
paralytique comme Cicéron[1]; je voulais arriver à l'homme,
260 me prendre corps à corps avec la tyrannie vivante, la tuer,
et après cela porter mon épée sanglante sur la tribune, et
laisser la fumée du sang d'Alexandre monter au nez des harangueurs, pour réchauffer leur cervelle ampoulée.

PHILIPPE. — Quelle tête de fer as-tu, ami! quelle tête de fer!

265 LORENZO. — La tâche que je m'imposais était rude avec
Alexandre. Florence était, comme aujourd'hui, noyée de vin
et de sang. L'empereur et le pape avaient fait un duc d'un
garçon boucher[2]. Pour plaire à mon cousin, il fallait arriver
à lui porté par les larmes des familles; pour devenir son ami
270 et acquérir sa confiance, il fallait baiser sur ses lèvres épaisses[3]
tous les restes de ses orgies. J'étais pur comme un lis, et cependant je n'ai pas reculé devant cette tâche. Ce que je suis devenu
à cause de cela, n'en parlons pas. Tu dois comprendre ce que
j'ai souffert, et il y a des blessures dont on ne lève pas l'appa-
275 reil impunément. Je suis devenu vicieux, lâche, un objet de
honte et d'opprobre; qu'importe? ce n'est pas de cela qu'il s'agit.

PHILIPPE. — Tu baisses la tête; tes yeux sont humides.

LORENZO. — Non, je ne rougis point; les masques de plâtre
n'ont point de rougeur au service de la honte. J'ai fait ce que
280 j'ai fait. Tu sauras seulement que j'ai réussi dans mon entreprise. Alexandre viendra bientôt dans un certain lieu d'où il
ne sortira pas debout. Je suis au terme de ma peine, et sois
certain, Philippe, que le buffle sauvage, quand le bouvier l'abat
sur l'herbe, n'est pas entouré de plus de filets, de plus de nœuds
285 coulants que je n'en ai tissus autour de mon bâtard. Ce cœur,
jusques auquel une armée ne serait pas parvenue en un an, il
est maintenant à nu sous ma main; je n'ai qu'à laisser tomber
mon stylet pour qu'il y entre. Tout sera fait. Maintenant,
sais-tu ce qui m'arrive, et ce dont je veux t'avertir?

---

1. *Cicéron* avait soulevé, sinon les masses, du moins le Sénat romain contre la conjuration de Catilina. Son action ne s'était d'ailleurs pas bornée à des discours, comme Lorenzo le prétend en l'appelant *paralytique*. (Voir, II, IV, page 64, lignes 94-103, une première diatribe de Lorenzo contre les faiseurs de discours); 2. Allusion au physique brutal d'Alexandre, que ses portraitistes n'arrivent pas à cacher; 3. Autre détail exact. On le disait mulâtre.

290 PHILIPPE. — Tu es notre Brutus si tu dis vrai.

LORENZO. — Je me suis cru un Brutus, mon pauvre Philippe; je me suis souvenu du bâton d'or couvert d'écorce[1]. Maintenant, je connais les hommes, et je te conseille de ne pas t'en mêler.

295 PHILIPPE. — Pourquoi?

LORENZO. — Ah! vous avez vécu tout seul, Philippe. Pareil à un fanal éclatant, vous êtes resté immobile au bord de l'océan des hommes, et vous avez regardé dans les eaux la réflexion de votre propre lumière; du fond de votre solitude, vous trou-
300 viez l'océan magnifique sous le dais splendide des cieux; vous ne comptiez pas chaque flot, vous ne jetiez pas la sonde; vous étiez plein de confiance dans l'ouvrage de Dieu. Mais moi, pendant ce temps-là, j'ai plongé; je me suis enfoncé dans cette mer houleuse de la vie; j'en ai parcouru toutes les profondeurs,
305 couvert de ma cloche de verre[2]; tandis que vous admiriez la surface, j'ai vu les débris des naufrages, les ossements et les Léviathans[3].

PHILIPPE. — Ta tristesse me fend le cœur.

LORENZO. — C'est parce que je vous vois tel que j'ai été,
310 et sur le point de faire ce que j'ai fait, que je vous parle ainsi. Je ne méprise point les hommes; le tort des livres et des historiens est de nous les montrer différents de ce qu'ils sont. La vie est comme une cité, on peut y rester cinquante ou soixante ans sans voir autre chose que des promenades et des palais;
315 mais il ne faut pas entrer dans les tripots, ni s'arrêter, en rentrant chez soi, aux fenêtres des mauvais quartiers. Voilà mon avis, Philippe; s'il s'agit de sauver tes enfants, je te dis de rester tranquille; c'est le meilleur moyen pour qu'on te les renvoie après une petite semonce. S'il s'agit de tenter quelque
320 chose pour les hommes, je te conseille de te couper les bras, car tu ne seras pas longtemps à t'apercevoir qu'il n'y a que toi qui en aies[4].

---

1. Le trait est historique (Tite-Live, I, 56) : « Brutus contrefaisait la folie [...]; il fut emmené à Delphes par les enfants de Tarquin plutôt pour les faire rire que pour les accompagner, et présenta, dit-on, comme offrande à Apollon, un bâton d'or dans une branche évidée de cornouiller, qui représentait métaphoriquement son esprit. » Lorenzo veut dire que, comme Brutus, il vaut mieux que son apparence extérieure; **2.** La comparaison entre une grande pensée et la cloche du plongeur se trouve dans *Fantasio* (I, II) avec l'indication de sa source, *les Pensées*, du poète allemand Jean-Paul Richter (1763-1821); **3.** *Léviathan :* monstre dont il est question dans la Bible au *Livre de Job ;* **4.** *En aies :* des bras. La métaphore est assez étrange.

PHILIPPE. — Je conçois que le rôle que tu joues t'ait donné de pareilles idées. Si je te comprends bien, tu as pris, dans un
325 but sublime, une route hideuse, et tu crois que tout ressemble à ce que tu as vu.

LORENZO. — Je me suis réveillé de mes rêves, rien de plus. Je te dis le danger d'en faire. Je connais la vie, et c'est une vilaine cuisine, sois-en persuadé. Ne mets pas la main là-
330 dedans, si tu respectes quelque chose.

PHILIPPE. — Arrête; ne brise pas comme un roseau mon bâton de vieillesse. Je crois à tout ce que tu appelles des rêves; je crois à la vertu, à la pudeur et à la liberté

LORENZO. — Et me voilà dans la rue, moi, Lorenzaccio!
335 et les enfants ne me jettent pas de la boue! Les lits des filles sont encore chauds de ma sueur, et les pères ne prennent pas, quand je passe, leurs couteaux et leur balais pour m'assommer! Au fond de ces dix mille maisons que voilà, la septième génération parlera encore de la nuit où j'y suis entré, et pas
340 une ne vomit à ma vue un valet de charrue qui me fende en deux comme une bûche pourrie! L'air que vous respirez, Philippe, je le respire; mon manteau de soie bariolé traîne paresseusement sur le sable fin des promenades; pas une goutte de poison ne tombe dans mon chocolat; que dis-je? ô Philippe!
345 les mères pauvres soulèvent honteusement le voile de leurs filles quand je m'arrête au seuil de leurs portes; elles me laissent voir leur beauté avec un sourire plus vil que le baiser de Judas, tandis que moi, pinçant le menton de la petite, je serre les poings de rage en remuant dans ma poche quatre ou cinq
350 méchantes pièces d'or.

PHILIPPE. — Que le tentateur ne méprise pas le faible; pourquoi tenter lorsque l'on doute?

LORENZO. — Suis-je un Satan? Lumière du ciel! Quand j'ai commencé à jouer mon rôle de Brutus moderne, je marchais
355 dans mes habits neufs de la grande confrérie du vice comme un enfant de dix ans dans l'armure d'un géant de la Fable. Je croyais que la corruption était un stigmate, et que les monstres seuls le portaient au front. J'avais commencé à dire tout haut que mes vingt années de vertu étaient un masque étouffant;
360 ô Philippe! j'entrai alors dans la vie, et je vis qu'à mon approche tout le monde en faisait autant que moi; tous les masques tombaient devant mon regard; l'humanité souleva sa robe et

me montra, comme à un adepte digne d'elle, sa monstrueuse nudité. J'ai vu les hommes tels qu'ils sont, et je me suis dit :
365 Pour qui est-ce donc que je travaille? Lorsque je parcourais les rues de Florence, avec mon fantôme à mes côtés[1], je regardais autour de moi, je cherchais les visages qui me donnaient du cœur, et je me demandais : Quand j'aurai fait mon coup, celui-là en profitera-t-il? J'ai vu les républicains dans leurs
370 cabinets; je suis entré dans les boutiques; j'ai écouté et j'ai guetté. J'ai recueilli les discours des gens du peuple; j'ai vu l'effet que produisait sur eux la tyrannie; j'ai bu dans les banquets patriotiques le vin qui engendre la métaphore et la prosopopée[2]; j'ai avalé entre deux baisers les larmes les plus ver-
375 tueuses; j'attendais toujours que l'humanité me laissât voir sur sa face quelque chose d'honnête. J'observais comme un amant observe sa fiancée en attendant le jour des noces.

PHILIPPE. — Si tu n'as vu que le mal, je te plains; mais je ne puis te croire. Le mal existe, mais non pas sans le bien, comme
380 l'ombre existe, mais non sans la lumière.

LORENZO. — Tu ne veux voir en moi qu'un mépriseur d'hommes : c'est me faire injure. Je sais parfaitement qu'il y en a de bons; mais à quoi servent-ils? que font-ils? comment agissent-ils? Qu'importe que la conscience soit vivante, si le
385 bras est mort? Il y a de certains côtés par où tout devient bon : un chien est un ami fidèle; on peut trouver en lui le meilleur des serviteurs, comme on peut voir aussi qu'il se roule sur les cadavres, et que la langue avec laquelle il lèche son maître sent la charogne à une lieue. Tout ce que j'ai à voir, moi,
390 c'est que je suis perdu, et que les hommes n'en profiteront pas plus qu'ils ne me comprendront.

PHILIPPE. — Pauvre enfant, tu me navres le cœur! Mais si tu es honnête, quand tu auras délivré ta patrie, tu le redeviendras. Cela réjouit mon vieux cœur, Lorenzo, de penser que
395 tu es honnête; alors tu jetteras ce déguisement hideux qui te défigure, et tu redeviendras d'un métal aussi pur que les statues de bronze d'Harmodius et d'Aristogiton[3].

LORENZO. — Philippe, Philippe, j'ai été honnête. La main qui a soulevé une fois le voile de la vérité ne peut plus le laisser

---

1. A propos de ces hallucinations de Musset, voir aussi acte II, scène IV, page 62 et la note 1; 2. Allusion aux campagnes républicaines sous Louis-Philippe. Elles prenaient souvent la forme de banquets pour déjouer la police; 3. Voir page 44, note 2.

400 retomber; elle reste immobile jusqu'à la mort, tenant toujours ce voile terrible, et l'élevant de plus en plus au-dessus de la tête de l'homme, jusqu'à ce que l'ange du sommeil éternel lui bouche les yeux.

PHILIPPE. — Toutes les maladies se guérissent; et le vice 405 est aussi une maladie.

LORENZO. — Il est trop tard. Je me suis fait à mon métier. Le vice a été pour moi un vêtement; maintenant il est collé à ma peau. Je suis vraiment un ruffian, et, quand je plaisante sur mes pareils, je me sens sérieux comme la mort au milieu de 410 ma gaieté. Brutus a fait le fou pour tuer Tarquin[1], et ce qui m'étonne en lui, c'est qu'il n'y ait pas laissé sa raison. Profite de moi, Philippe, voilà ce que j'ai à te dire; ne travaille pas pour la patrie.

PHILIPPE. — Si je te croyais, il me semble que le ciel s'obscur-415 cirait pour toujours, et que ma vieillesse serait condamnée à marcher à tâtons. Que tu aies pris une route dangereuse, cela peut être; pourquoi ne pourrais-je en prendre une autre qui me mènerait au même point? Mon intention est d'en appeler au peuple et d'agir ouvertement.

420 LORENZO. — Prends garde à toi, Philippe; celui qui te le dit sait pourquoi il le dit. Prends le chemin que tu voudras, tu auras toujours affaire aux hommes.

PHILIPPE. — Je crois à l'honnêteté des républicains.

LORENZO. — Je te fais une gageure. Je vais tuer Alexandre! 425 une fois mon coup fait, si les républicains se comportent comme ils le doivent, il leur sera facile d'établir une république, la plus belle qui ait jamais fleuri sur la terre. Qu'ils aient pour eux le peuple, et tout est dit. Je te gage que ni eux ni le peuple ne feront rien. Tout ce que je te demande, c'est de ne pas t'en 430 mêler; parle, si tu veux, mais prends garde à tes paroles, et encore plus à tes actions. Laisse-moi faire mon coup : tu as les mains pures, et moi je n'ai rien à perdre.

PHILIPPE. — Fais-le, et tu verras.

LORENZO. — Soit, — mais souviens-toi de ceci. Vois-tu dans 435 cette petite maison cette famille assemblée autour d'une table? ne dirait-on pas des hommes[2]? Ils ont un corps, et une âme

---

1. *Tarquin.* Voir page 61, note 2; 2. Rappelons que cette longue conversation a une rue pour théâtre.

dans ce corps. Cependant s'il me prenait envie d'entrer chez eux, tout seul, comme me voilà, et de poignarder leur fils aîné au milieu d'eux, il n'y aurait pas un couteau de levé sur moi.

440 PHILIPPE. — Tu me fais horreur. Comment le cœur peut-il rester grand avec des mains comme les tiennes?

LORENZO. — Viens, rentrons à ton palais, et tâchons de délivrer tes enfants.

PHILIPPE. — Mais pourquoi tueras-tu le duc, si tu as des 445 idées pareilles?

LORENZO. — Pourquoi? tu le demandes?

PHILIPPE. — Si tu crois que c'est un meurtre inutile à ta patrie, pourquoi le commets-tu?

LORENZO. — Tu me demandes cela en face? Regarde-moi 450 un peu. J'ai été beau, tranquille et vertueux.

PHILIPPE. — Quel abîme! quel abîme tu m'ouvres!

LORENZO. — Tu me demandes pourquoi je tue Alexandre? Veux-tu donc que je m'empoisonne, ou que je saute dans l'Arno? veux-tu donc que je sois un spectre, et qu'en frappant 455 sur ce squelette *(il frappe sa poitrine)* il n'en sorte aucun son[1]? Si je suis l'ombre de moi-même, veux-tu donc que je rompe le seul fil qui rattache aujourd'hui mon cœur à quelques fibres de mon cœur d'autrefois? Songes-tu que ce meurtre, c'est tout ce qui me reste de ma vertu? Songes-tu que je glisse depuis 460 deux ans sur un rocher taillé à pic, et que ce meurtre est le seul brin d'herbe où j'aie pu cramponner mes ongles? Crois-tu donc que je n'aie plus d'orgueil, parce que je n'ai plus de honte? et veux-tu que je laisse mourir en silence l'énigme de ma vie? Oui, cela est certain, si je pouvais revenir à la vertu, 465 si mon apprentissage du vice pouvait s'évanouir, j'épargnerais peut-être ce conducteur de bœufs. Mais j'aime le vin, le jeu et les filles; comprends-tu cela? Si tu honores en moi quelque chose, toi qui me parles, c'est mon meurtre que tu honores peut-être justement parce que tu ne le ferais pas. Voilà assez 470 longtemps, vois-tu, que les républicains me couvrent de boue et d'infamie; voilà assez longtemps que les oreilles me tintent[2] et que l'exécration des hommes empoisonne le pain que je mâche; j'en ai assez d'entendre brailler en plein vent le bavar-

---

1. Métaphore assez incohérente, parce que les mots sont employés à la fois au propre et au figuré; 2. *Tintent*, parce qu'on dit du mal de lui.

dage humain; il faut que le monde sache un peu qui je suis
475 et qui il est. Dieu merci! c'est peut-être demain que je tue
Alexandre; dans deux jours j'aurai fini.

Ceux qui tournent autour de moi avec des yeux louches, comme autour d'une curiosité monstrueuse apportée d'Amérique[1], pourront satisfaire leur gosier et vider leur sac à paroles.
480 Que les hommes me comprennent ou non, qu'ils agissent ou n'agissent pas, j'aurai dit aussi ce que j'ai à dire; je leur ferai tailler leurs plumes si je ne leur fais pas nettoyer leurs piques, et l'humanité gardera sur sa joue le soufflet de mon épée marqué en traits de sang. Qu'ils m'appellent comme ils voudont,
485 Brutus ou Érostrate[2], il ne me plaît pas qu'ils m'oublient. Ma vie entière est au bout de ma dague, et que la Providence retourne ou non la tête, en m'entendant frapper, je jette la nature humaine à pile ou face sur la tombe d'Alexandre[3], dans deux jours les hommes comparaîtront devant le tribunal de ma
490 volonté.

PHILIPPE. — Tout cela m'étonne, et il y a dans tout ce que tu m'as dit des choses qui me font peine, et d'autres qui me font plaisir. Mais Pierre et Thomas sont en prison, et je ne saurais là-dessus m'en fier à personne qu'à moi-même. C'est
495 en vain que ma colère voudrait ronger son frein; mes entrailles

---

1. L'*Amérique* avait été récemment découverte (1493); 2. *Erostrate :* Éphésien obscur qui incendia le temple d'Artémis à Éphèse pour faire parler de lui; 3. Image assez contournée : le meurtre d'Alexandre contient en puissance d'immenses changements, qui n'auront lieu que si les circonstances les aident.

QUESTIONS

● SCÈNE III. — Pourquoi Musset a-t-il placé là cette scène capitale entre Philippe et Lorenzo? — Pourquoi l'a-t-il fait précéder d'un préambule?

— Philippe Strozzi, les vieillards de Corneille, et les « pères nobles » du répertoire romantique.

— Démêlez, d'après le début de l'entretien, les motifs de la confiance que Philippe accorde encore à Lorenzo.

— Par quelles transitions, pour quelles raisons Lorenzo en vient-il à se confier à Philippe?

— Analysez les sentiments de Lorenzo, la part du romantisme et celle de l'autobiographie.

— La part de l'humanisme dans le caractère de Lorenzo et dans sa décision finale. Musset fait-il preuve de dons psychologiques?

— Dégagez les raisons que Lorenzo garde de tuer Alexandre.

— Les allusions à la politique contemporaine.

— Le style de la scène est-il dramatique? — La scène dans son ensemble vous semble-t-elle conforme à l'optique théâtrale?

— Expliquez en détail les tirades : *Prends-y garde...* (page 86, lignes 171-181) et *Suis-je un Satan...* (page 91, lignes 353-377). Dégagez les nuances du pessimisme de Musset.

sont émues trop vivement : tu peux avoir raison, mais il faut que j'agisse; je vais rassembler mes parents.

LORENZO. — Comme tu voudras; mais prends garde à toi. Garde-moi le secret, même avec tes amis, c'est tout ce que je 500 te demande. *(Ils sortent.)*

SCÈNE IV.

Au palais Soderini.

Entre CATHERINE, *lisant un billet.* — « Lorenzo a dû vous « parler de moi; mais qui pourrait vous parler dignement « d'un amour pareil au mien? Que ma plume vous apprenne « ce que ma bouche ne peut vous dire et ce que mon cœur 5 « voudrait signer de son sang.

« Alexandre DE MÉDICIS. »

Si mon nom n'était pas sur l'adresse, je croirais que le messager s'est trompé, et ce que je lis me fait douter de mes yeux. *(Entre Marie.)* O ma mère chérie! voyez ce qu'on m'écrit; 10 expliquez-moi, si vous pouvez, ce mystère.

MARIE. — Malheureuse! malheureuse! il t'aime! Où t'a-t-il vue? où lui as-tu parlé?

CATHERINE. — Nulle part; un messager m'a apporté cela comme je sortais de l'église.

15 MARIE. — Lorenzo, dit-il, a dû te parler de lui? Ah! Catherine, avoir un fils pareil! Oui, faire de la sœur de sa mère la maîtresse du duc, non pas même la maîtresse, ô ma fille! Quels noms portent ces créatures! je ne puis le dire; oui, il manquait cela à Lorenzo. Viens, je veux lui porter cette lettre ouverte, 20 et savoir devant Dieu comment il répondra.

CATHERINE. — Je croyais que le duc aimait... pardon, ma mère; mais je croyais que le duc aimait la comtesse[1] Cibo; on me l'avait dit...

MARIE. — Cela est vrai, il l'a aimée, s'il peut aimer.

25 CATHERINE. — Il ne l'aime plus? Ah! comment peut-on offrir sans honte un cœur pareil! Venez, ma mère, venez chez Lorenzo.

---

1. On attendrait « la marquise ». Il s'agit sans doute d'une inadvertance de Musset, qui avait eu d'abord l'intention de donner aux Cibo le titre de comte et de comtesse conformément au dictionnaire de Moréri. P. Dimoff en conclut que cette scène est peut-être une des plus anciennes de la rédaction primitive, écrite quand Musset n'avait pas encore songé à modifier le titre des Cibo.

MARIE. — Donne-moi ton bras. Je ne sais ce que j'éprouve depuis quelques jours; j'ai eu la fièvre toutes les nuits : il est vrai que depuis trois mois elle ne me quitte guère. J'ai trop 30 souffert, ma pauvre Catherine; pourquoi m'as-tu lu cette lettre? je ne puis plus rien supporter. Je ne suis plus jeune, et cependant il me semble que je le redeviendrais à certaines conditions; mais tout ce que je vois m'entraîne vers la tombe. Allons, soutiens-moi, pauvre enfant; je ne te donnerai pas longtemps 35 cette peine. *(Elles sortent.)*

SCÈNE V.

Chez la marquise.

LA MARQUISE, *parée, devant un miroir.* — Quand je pense que cela est, cela me fait l'effet d'une nouvelle qu'on m'apprendrait tout à coup. Quel précipice que la vie! Comment, il est déjà neuf heures, et c'est le duc que j'attends dans cette toi- 5 lette! Advienne que pourra, je veux essayer mon pouvoir. *(Entre le cardinal.)*

LE CARDINAL. — Quelle parure, marquise. Voilà des fleurs qui embaument.

LA MARQUISE. — Je ne puis vous recevoir, cardinal; j'attends 10 une amie : vous m'excuserez.

LE CARDINAL. — Je vous laisse, je vous laisse. Ce boudoir dont j'aperçois la porte entr'ouverte là-bas, c'est un petit paradis. Irai-je vous y attendre?

LA MARQUISE. — Je suis pressée, pardonnez-moi; non, pas dans 15 mon boudoir; où vous voudrez.

LE CARDINAL. — Je reviendrai dans un moment plus favorable. *(Il sort.)*

LA MARQUISE. — Pourquoi toujours le visage de ce prêtre? Quels cercles décrit donc autour de moi ce vautour à tête 20 chauve, pour que je le trouve sans cesse derrière moi quand je me retourne? Est-ce que l'heure de ma mort serait proche? *(Entre un page qui lui parle à l'oreille.)* C'est bon, j'y vais. Ah! ce métier de servante, tu n'y es pas fait, pauvre cœur orgueilleux. *(Elle sort.)*

QUESTIONS

● SCÈNE IV. — Pourquoi Musset a-t-il fait de Marie, et non de Catherine, le personnage principal de cette scène?

● SCÈNE V. — Quels effets Musset a-t-il cherchés en rapprochant deux scènes où Catherine et la marquise se trouvent dans deux situations comparables?

SCÈNE VI.

Le boudoir de la marquise.

LA MARQUISE, LE DUC.

LA MARQUISE. — C'est ma façon de penser; je t'aimerais ainsi.

LE DUC. — Des mots, des mots, et rien de plus.

LA MARQUISE. — Vous autres hommes, cela est si peu pour vous! Sacrifier le repos de ses jours, la sainte chasteté de l'hon-
5 neur! quelquefois ses enfants; ne vivre que pour un seul être au monde; se donner, enfin. Mais cela n'en vaut pas la peine; à quoi bon écouter une femme? une femme qui parle d'autre chose que de chiffons et de libertinage, cela ne se voit pas.

LE DUC. — Vous rêvez tout éveillée.

10 LA MARQUISE. — Oui, par le ciel! oui, j'ai fait un rêve; hélas! les rois seuls n'en font jamais : toutes les chimères de leurs caprices se transforment en réalités, et leurs cauchemars eux-mêmes se changent en marbre. Alexandre! Alexandre! quel mot que celui-là : Je peux si je veux! Ah! Dieu lui-même n'en
15 sait pas plus; devant ce mot, les mains des peuples se joignent dans une prière craintive, et le pâle troupeau des hommes retient son haleine pour écouter.

LE DUC. — N'en parlons plus, ma chère, cela est fatigant.

LA MARQUISE. — Être un roi, sais-tu ce que c'est! Avoir
20 au bout de son bras cent mille mains! Être le rayon du soleil qui sèche les larmes des hommes! Être le bonheur et le malheur! Ah! quel frisson mortel cela donne! Comme il tremblerait, ce vieux du Vatican[1], si tu ouvrais tes ailes, toi, mon aiglon! César est si loin! la garnison t'est si dévouée! Et, d'ailleurs,
25 on égorge une armée et l'on n'égorge pas un peuple. Le jour où tu auras pour toi la nation tout entière, où tu seras la tête d'un corps libre, où tu diras : Comme le doge de Venise épouse l'Adriatique[2], ainsi mets mon anneau d'or au doigt de ma belle Florence, et ses enfants sont mes enfants... Ah! sais-tu
30 ce que c'est qu'un peuple qui prend son bienfaiteur dans ses bras? Sais-tu ce que c'est que d'être montré par un père à son enfant?

---

1. Paul III était âgé de soixante et onze ans; la marquise a déjà manifesté sa haine contre la politique pontificale à la scène III de l'acte premier; **2.** Le *doge de Venise* jetait chaque année un anneau d'or dans l'Adriatique en signe de mariage de la cité avec la mer. La marquise, sous cette forme un peu contournée, demande au duc de l'associer à la gestion de Florence pour le bonheur des Florentins.

LE DUC. — Je me soucie de l'impôt; pourvu qu'on le paye, que m'importe?

35 LA MARQUISE. — Mais enfin on t'assassinera. — Les pavés sortiront de terre et t'écraseront. Ah! la postérité! N'as-tu jamais vu ce spectre-là, au chevet de ton lit! Ne t'es-tu jamais demandé ce que penseront de toi ceux qui sont dans le ventre des vivants? Et tu vis, toi, il est encore temps! tu n'as qu'un 40 mot à dire. Te souviens-tu du Père de la Patrie? Va, cela est facile d'être un grand roi quand on est roi. Déclare Florence indépendante; réclame l'exécution du traité avec l'empire[1] : tire ton épée et montre-la; ils te diront de la remettre au fourreau, que ses éclairs leur font mal aux yeux. Songe donc comme 45 tu es jeune! Rien n'est décidé sur ton compte. — Il y a dans le cœur des peuples de larges indulgences pour les princes, et la reconnaissance publique est un profond fleuve d'oubli pour leurs fautes passées. On t'a mal conseillé, on t'a trompé. — Mais il est encore temps, tu n'as qu'à dire; tant que tu es 50 vivant, la page n'est pas tournée dans le livre de Dieu.

LE DUC.— Assez, ma chère, assez.

LA MARQUISE. — Ah! quand elle le sera! quand un misérable jardinier, payé à la journée, viendra arroser à contrecœur quelques chétives marguerites autour du tombeau d'Alexandre; 55 quand les pauvres respireront gaiement l'air du ciel et n'y verront plus planer le sombre météore de ta puissance; — quand ils parleront de toi en secouant la tête; — quand ils compteront autour de ta tombe les tombes de leurs parents, — es-tu sûr de dormir tranquille dans ton dernier sommeil? — Toi 60 qui ne vas pas à la messe, et qui ne tiens qu'à l'impôt, es-tu sûr que l'éternité soit sourde, et qu'il n'y ait pas un écho de la vie dans le séjour hideux des trépassés? Sais-tu où vont les larmes des peuples quand le vent les emporte?

LE DUC. — Tu as une jolie jambe.

65 LA MARQUISE. — Écoute-moi; tu es étourdi, je le sais; mais tu n'es pas méchant; non, sur Dieu, tu ne l'es pas, tu ne peux pas l'être. Voyons! fais-toi violence; réfléchis un instant, un seul instant, à ce que je te dis. N'y a-t-il rien dans tout cela? Suis-je décidément une folle?

---

1. Clément VII avait signé en 1527 avec Charles Quint un traité par lequel celui-ci s'engageait à rappeler ses troupes au-delà des Alpes. Ce traité ne fut jamais respecté.

70 LE DUC. — Tout cela me passe bien par la tête; mais qu'est-ce que je fais donc de si mal? Je vaux bien mes voisins[1]; je vaux, ma foi, mieux que le pape. Tu me fais penser aux Strozzi avec tous tes discours; — et tu sais que je les déteste. Tu veux que je me révolte contre César; César est mon beau-père[2], 75 ma chère amie. Tu te figures que les Florentins ne m'aiment pas, je suis sûr qu'ils m'aiment, moi. Eh! parbleu! quand tu aurais raison, de qui veux-tu que j'aie peur?

LA MARQUISE. — Tu n'as pas peur de ton peuple, — mais tu as peur de l'empereur; tu as tué ou déshonoré des centaines 80 de citoyens, et tu crois avoir tout fait quand tu mets une cotte de mailles sous ton habit!

LE DUC. — Paix! point de ceci.

LA MARQUISE. — Ah! je m'emporte, je dis ce que je ne veux pas dire. Mon ami, qui ne sait pas que tu es brave? Tu es 85 brave comme tu es beau; ce que tu as fait de mal, c'est ta jeunesse, c'est ta tête, — que sais-je, moi? c'est le sang qui coule violemment dans ces veines brûlantes, c'est le soleil étouffant qui nous pèse. — Je t'en supplie, que je ne sois pas perdue sans ressource; que mon nom, que mon pauvre amour pour toi 90 ne soit pas inscrit sur une liste infâme. Je suis une femme, c'est vrai, et si la beauté est tout pour les femmes, bien d'autres valent mieux que moi. Mais n'as-tu rien, dis-moi, — dis-moi donc, toi! voyons! n'as-tu donc rien, rien là? *(Elle lui frappe le cœur.)*

95 LE DUC. — Quel démon! Assieds-toi donc là, ma petite.

LA MARQUISE. — Eh bien! oui, je veux bien l'avouer; oui, j'ai de l'ambition, non pas pour moi; — mais pour toi! toi et ma chère Florence! O Dieu! tu m'es témoin de ce que je souffre.

100 LE DUC. — Tu souffres! qu'est-ce que tu as?

LA MARQUISE. — Non, je ne souffre pas. Écoute! écoute! Je vois que tu t'ennuies auprès de moi. Tu comptes les moments[3], tu détournes la tête; ne t'en va pas encore : c'est peut-être la

1. Tous ceux-ci devaient plus ou moins leurs états à la protection du pape et de Charles Quint, notamment Pierre Farnèse, duc de Parme, qui devait, lui aussi, être assassiné (1547). 2. En 1536, Alexandre avait épousé la très jeune princesse Marguerite d'Autriche, fille de Charles Quint. Le mariage, conclu depuis plusieurs années, avait été différé en raison de l'âge de la princesse. C'est à ce mariage, auquel Charles Quint avait assisté en personne, que Lorenzo avait fait représenter son *Arridosio*. 3. Souvenir presque littéral de Racine, *Andromaque*, acte IV, scène V, vers 1373-1380.

dernière fois que je te vois. Écoute! je te dis que Florence
105 t'appelle sa peste nouvelle, et qu'il n'y a pas une chaumière où ton portrait ne soit collé sur les murailles avec un coup de couteau dans le cœur[1]. Que je sois folle, que tu me haïsses demain, que m'importe? tu sauras cela!

LE DUC. — Malheur à toi si tu joues avec ma colère!

110 LA MARQUISE. — Oui, malheur à moi! malheur à moi!

LE DUC. — Une autre fois, — demain matin, si tu veux, — nous pourrons nous revoir et parler de cela. Ne te fâche pas si je te quitte à présent : il faut que j'aille à la chasse.

LA MARQUISE. — Oui, malheur à moi! malheur à moi!

115 LE DUC. — Pourquoi? Tu as l'air sombre comme l'enfer. Pourquoi diable aussi te mêles-tu de politique? Allons, allons! ton petit rôle de femme, et de vraie femme te va si bien! Tu es trop dévote; cela se formera. Aide-moi donc à remettre mon habit; je suis tout débraillé.

120 LA MARQUISE. — Adieu, Alexandre. *(Le duc l'embrasse. — Entre le cardinal Cibo.)*

LE CARDINAL. — Ah! — Pardon, Altesse, je croyais ma sœur toute seule. Je suis un maladroit; c'est à moi d'en porter la peine. Je vous supplie de m'excuser.

125 LE DUC. — Comment l'entendez-vous? Allons donc! Malaspina, voilà qui sent le prêtre. Est-ce que vous devez voir ces choses-là? Venez donc, venez donc; que diable est-ce que cela vous fait? *(Ils sortent ensemble.)*

LA MARQUISE, *seule, tenant le portrait de son mari.* — Où
130 es-tu maintenant, Laurent? Il est midi passé; tu te promènes sur la terrasse, devant les grands marronniers. Autour de toi paissent tes génisses grasses; tes garçons de ferme dînent à l'ombre; la pelouse soulève son manteau blanchâtre aux rayons du soleil[2]; les arbres, entretenus par tes soins, murmurent
135 religieusement sur la tête de leur vieux maître, tandis que l'écho de nos longues arcades répète avec respect le bruit de ton pas tranquille. O mon Laurent! j'ai perdu le trésor de ton honneur; j'ai voué au ridicule et au doute les dernières

---

1. Pratique voisine de l'envoûtement. La superstition populaire considérait que c'était un moyen efficace d'appeler la mort sur Alexandre; 2. C'est le brouillard qui s'élève avec la chaleur du jour.

années de ta noble vie; tu ne presseras plus sur ta cuirasse
140 un cœur digne du tien, ce sera une main tremblante qui
t'apportera ton repas du soir quand tu rentreras de la chasse.

SCÈNE VII.

Chez les Strozzi.

LES QUARANTE STROZZI, *à souper.*

PHILIPPE. — Mes enfants, mettons-nous à table.

LES CONVIVES. — Pourquoi reste-t-il deux sièges vides?

PHILIPPE. — Pierre et Thomas sont en prison.

LES CONVIVES. — Pourquoi?

5 PHILIPPE. — Parce que Salviati a insulté ma fille, que voilà, à la foire de Montolivet, publiquement, et devant son frère Léon. Pierre et Thomas ont tué Salviati[1], et Alexandre de Médicis les a fait arrêter pour venger la mort de son ruffian.

LES CONVIVES. — Meurent les Médicis!

10 PHILIPPE. — J'ai rassemblé ma famille pour lui raconter mes chagrins, et la prier de me secourir. Soupons, et sortons ensuite l'épée à la main, pour redemander mes deux fils, si vous avez du cœur.

LES CONVIVES. — C'est dit; nous voulons bien.

15 PHILIPPE. — Il est temps que cela finisse, voyez-vous; on nous tuerait nos enfants et on déshonorerait nos filles. Il est temps que Florence apprenne à ces bâtards ce que c'est que le droit de vie et de mort. Les Huit[2] n'ont pas le droit de condamner mes enfants; et moi, je n'y survivrais pas.

---

1. Inadvertance de Musset. Salviati n'a été que blessé (III, II); 2. *Les Huit*, voir la liste des personnages, page 19, note 5 et aussi acte III, scène III, page 82 et la note 1.

QUESTIONS

● SCÈNE VI. — Résumez, à l'aide des notes historiques, les intentions de la marquise.

— Dans quelle mesure ces idées sont-elles inspirées par le cardinal? (Voir acte II, scène III.) — L'amour du peuple lui a-t-il été suggéré par le cardinal?

— Le style de la marquise. L'art de parler par images. L'art d'animer des idées abstraites par des visions concrètes.

— Quels sont les sentiments de la marquise à l'égard du duc? Elle semble, tout au long de la scène, manquer de sens psychologique et servir bien mal sa cause; vous expliquerez pourquoi elle se trompe à ce point.

— Que pensez-vous du monologue final?

20 LES CONVIVES. — N'aie pas peur, Philippe, nous sommes là.

PHILIPPE. — Je suis le chef de la famille : comment souffrirais-je qu'on m'insultât? Nous sommes tout autant que les Médicis, les Ruccellai tout autant, les Aldobrandini[1] et vingt autres. Pourquoi ceux-là pourraient-ils faire égorger nos enfants 25 plutôt que nous les leurs? Qu'on allume un tonneau de poudre dans les caves de la citadelle, et voilà la garnison allemande en déroute. Que reste-t-il à ces Médicis? Là est leur force; hors de là, ils ne sont rien. Sommes-nous des hommes? Est-ce à dire qu'on abattra d'un coup de hache les familles de Flo- 30 rence, et qu'on arrachera de la terre natale des racines aussi vieilles qu'elle? C'est par nous qu'on commence; c'est à nous de tenir ferme; notre premier cri d'alarme, comme le coup de sifflet de l'oiseleur, va rabattre sur Florence une armée tout entière d'aigles chassés du nid; ils ne sont pas loin; ils 35 tournoient autour de la ville, les yeux fixés sur ses clochers. Nous y planterons les drapeaux noirs de la peste[2], ils accourront à ce signal de mort. Ce sont les couleurs de la colère céleste. Ce soir, allons d'abord délivrer nos fils; demain nous irons tous ensemble, l'épée nue, à la porte de toutes les grandes 40 familles; il y a à Florence quatre-vingts palais, et de chacun d'eux sortira une troupe pareille à la nôtre quand la liberté y frappera.

LES CONVIVES. — Vive la liberté!

PHILIPPE. — Je prends Dieu à témoin que c'est la violence 45 qui me force à tirer l'épée; que je suis resté durant soixante ans bon et paisible citoyen; que je n'ai jamais fait de mal à qui que ce soit au monde, et que la moitié de ma fortune a été employée à secourir les malheureux.

LES CONVIVES. — C'est vrai.

50 PHILIPPE. — C'est une juste vengeance qui me pousse à la révolte, et je me fais rebelle parce que Dieu m'a fait père. Je ne suis poussé par aucun motif d'ambition, ni d'intérêt ni d'orgueil. Ma cause est loyale, honorable et sacrée. Emplissez vos coupes et levez-vous. Notre vengeance est une hostie que 55 nous pouvons briser sans crainte et partager devant Dieu. Je bois à la mort des Médicis!

---

1. *Aldobrandini :* vieille famille toscane ennemie des Médicis, d'où sortit notamment le pape Clément VIII (1536-1605), élu pape en 1592; 2. La fameuse peste noire qui avait, en 1348, sévi notamment à Florence; ces drapeaux noirs constituent une image symbolique.

LES CONVIVES *se lèvent et boivent.* — A la mort des Médicis!

LOUISE, *posant son verre.* — Ah! je vais mourir.

PHILIPPE. — Qu'as-tu, ma fille, mon enfant bien-aimée,
60 qu'as-tu, mon Dieu! que t'arrive-t-il! Mon Dieu, mon Dieu, comme tu pâlis! Parle, qu'as-tu? parle à ton père. Au secours, au secours! un médecin! Vite, vite, il n'est plus temps.

LOUISE. — Je vais mourir, je vais mourir. *(Elle meurt.)*

PHILIPPE. — Elle s'en va, mes amis, elle s'en va! Un médecin!
65 ma fille est empoisonnée! *(Il tombe à genoux près de Louise.)*

UN CONVIVE. — Coupez son corset; faites-lui boire de l'eau tiède; si c'est du poison, il faut de l'eau tiède. *(Les domestiques accourent.)*

UN AUTRE CONVIVE. — Frappez-lui dans les mains; ouvrez
70 les fenêtres, et frappez-lui dans les mains.

UN AUTRE. — Ce n'est peut-être qu'un étourdissement; elle aura bu avec trop de précipitation.

UN AUTRE. — Pauvre enfant! Comme ses traits sont calmes! Elle ne peut pas être morte ainsi tout d'un coup.

75 PHILIPPE. — Mon enfant! es-tu morte, es-tu morte, Louise, ma fille bien aimée?

LE PREMIER CONVIVE. — Voilà le médecin qui accourt. *(Un médecin entre.)*

LE SECOND CONVIVE. — Dépêchez-vous, monsieur; dites-
80 nous si c'est du poison.

PHILIPPE. — C'est un étourdissement, n'est-ce pas?

LE MÉDECIN. — Pauvre jeune fille! Elle est morte. *(Un profond silence règne dans la salle; Philippe est toujours à genoux auprès de Louise et lui tient les mains.)*

85 UN DES CONVIVES. — C'est du poison des Médicis. Ne laissons pas Philippe dans l'état où il est. Cette immobilité est effrayante.

UN AUTRE. — Je suis sûr de ne pas me tromper. Il y avait autour de la table un domestique qui a appartenu à la femme
90 de Salviati[1].

UN AUTRE. — C'est lui qui a fait le coup, sans aucun doute. Sortons, et arrêtons-le. *(Ils sortent.)*

---

1. La mort violente de Louise Strozzi est racontée par Varchi, qui la donne pour une vengeance de la femme de Julien Salviati (voir page 42, note 1).

LE PREMIER CONVIVE. — Philippe ne veut pas répondre à ce qu'on lui dit; il est frappé de la foudre.

95 UN AUTRE. — C'est horrible! C'est un meurtre inouï!

UN AUTRE. — Cela crie vengeance au ciel; sortons, et allons égorger Alexandre.

UN AUTRE. — Oui, sortons; mort à Alexandre! C'est lui qui a tout ordonné. Insensés que nous sommes! ce n'est pas d'hier
100 que date sa haine contre nous. Nous agissons trop tard.

UN AUTRE. — Salviati n'en voulait pas à cette pauvre Louise pour son propre compte; c'est pour le duc qu'il travaillait. Allons, partons, quand on devrait nous tuer jusqu'au dernier.

PHILIPPE *se lève.* — Mes amis, vous enterrerez ma pauvre
105 fille, n'est-ce pas? *(Il met son manteau.)* Dans mon jardin, derrière les figuiers. Adieu, mes bons amis; adieu, portez-vous bien.

UN CONVIVE. — Où vas-tu, Philippe?

PHILIPPE. — J'en ai assez, voyez-vous; j'en ai autant que j'en
110 puis porter. J'ai mes deux fils en prison, et voilà ma fille morte. J'en ai assez, je m'en vais d'ici.

UN CONVIVE. — Tu t'en vas? tu t'en vas sans vengeance?

PHILIPPE. — Oui, oui. Ensevelissez seulement ma pauvre fille, mais ne l'enterrez pas; c'est à moi de l'enterrer; je le ferai
115 à ma façon, chez de pauvres moines que je connais, et qui viendront la chercher demain. A quoi sert-il de la regarder? elle est morte; ainsi cela est inutile. Adieu, mes amis, rentrez chez vous; portez-vous bien.

120 UN CONVIVE. — Ne le laissez pas sortir, il a perdu la raison.

UN AUTRE. — Quelle horreur! je me sens prêt à m'évanouir dans cette salle. *(Il sort.)*

PHILIPPE. — Ne me faites pas violence; ne m'enfermez pas dans une chambre où est le cadavre de ma fille; laissez-moi m'en aller.

125 UN CONVIVE. — Venge-toi, Philippe, laisse-nous te venger. Que ta Louise soit notre Lucrèce[1]! Nous ferons boire à Alexandre le reste de son verre.

UN AUTRE. — La nouvelle Lucrèce! Nous allons jurer sur son corps de mourir pour la liberté! Rentre chez toi, Philippe,
130 pense à ton pays. Ne rétracte pas tes paroles.

---

1. Voir acte II, scène IV, page 61, et note 2.

PHILIPPE. — Liberté, vengeance, voyez-vous, tout cela est beau; j'ai deux fils en prison, et voilà ma fille morte. Si je reste ici, tout va mourir autour de moi. L'important, c'est que je m'en aille, et que vous vous teniez tranquilles. Quand ma 135 porte et mes fenêtres seront fermées, on ne pensera plus aux Strozzi. Si elles restent ouvertes, je m'en vais vous voir tomber tous les uns après les autres. Je suis vieux, voyez-vous, il est temps que je ferme ma boutique; adieu, mes amis, restez tranquilles; si je n'y suis plus, on ne vous fera rien. Je m'en vais 140 de ce pas à Venise[1].

UN CONVIVE. — Il fait un orage épouvantable; reste ici cette nuit.

PHILIPPE. — N'enterrez pas ma pauvre enfant; mes vieux moines viendront demain, et ils l'emporteront. Dieu de jus- 145 tice! Dieu de justice! que t'ai-je fait? *(Il sort en courant.)*

ACTE IV

SCÈNE PREMIÈRE.

Au palais du duc.

Entrent LE DUC *et* LORENZO.

LE DUC. — J'aurais voulu être là; il devait y avoir plus d'une face en colère. Mais je ne conçois pas qui a pu empoisonner cette Louise.

1. D'après Varchi, Philippe Strozzi se trouvait déjà à Venise à l'époque de la mort de Louise.

QUESTIONS

● SCÈNE VII. — Comment imaginez-vous une mise en scène qui groupe quarante convives autour d'une table? — Le rôle des convives anonymes.
— La mort de Louise. Dans quelle mesure échappe-t-elle au mélodrame?
— Le thème romantique des funérailles et des tombeaux.
— Quels effets Musset a-t-il voulu obtenir en commençant et en terminant le troisième acte par une scène de violence?

■ SUR L'ENSEMBLE DE L'ACTE III. — La composition de cet acte; importance de la scène III, non seulement à l'intérieur de l'acte mais encore dans l'ensemble du drame. Comment se transforme l'intérêt à partir de ce moment? Quelle cohésion nouvelle prend l'action?
— Le personnage de Lorenzo. Les sentiments qu'il suscite maintenant chez le spectateur.
— L'action en faveur de la liberté : la marquise Cibo et les Strozzi voient-ils leurs entreprises s'orienter vers le succès? Pourquoi la méthode de Lorenzo est-elle plus efficace?

LORENZO. — Ni moi non plus; à moins que ce ne soit vous.

5 LE DUC. — Philippe doit être furieux! On dit qu'il est parti pour Venise. Dieu merci, me voilà délivré de ce vieillard insupportable. Quant à la chère famille, elle aura la bonté de se tenir tranquille. Sais-tu qu'ils ont failli faire une petite révolution dans leur quartier? On m'a tué deux Allemands.

10 LORENZO. — Ce qui me fâche le plus, c'est que cet honnête Salviati a une jambe coupée. Avez-vous retrouvé votre cotte de mailles?

LE DUC. — Non, en vérité; j'en suis plus mécontent que je ne puis le dire.

15 LORENZO. — Méfiez-vous de Giomo; c'est lui qui vous l'a volée. Que portez-vous à la place?

LE DUC. — Rien; je ne puis en supporter une autre; il n'y en a pas d'aussi légère que celle-là.

LORENZO. — Cela est fâcheux pour vous.

20 LE DUC. — Tu ne me parles pas de ta tante.

LORENZO. — C'est par oubli, car elle vous adore; ses yeux ont perdu le repos depuis que l'astre de votre amour s'est levé dans son pauvre cœur. De grâce, seigneur, ayez quelque pitié pour elle; dites quand vous voulez la recevoir.

25 LE DUC. — Parles-tu sérieusement?

LORENZO. — Aussi sérieusement que la Mort elle-même.

LE DUC. — Où pourrais-je la voir?

LORENZO. — Dans ma chambre seigneur; je ferai mettre des rideaux blancs à mon lit et un pot de réséda sur ma table;
30 après quoi je coucherai par écrit sur votre calepin que ma tante sera en chemin à minuit précis, afin que vous ne l'oubliez pas après souper.

LE DUC. — Je n'ai garde. Peste! Catherine est un morceau de roi. Eh! dis-moi, habile garçon, tu es vraiment sûr qu'elle
35 viendra? Comment t'y es-tu pris?

LORENZO. — Je vous dirai cela.

LE DUC. — Je m'en vais voir un cheval que je viens d'acheter; adieu et à ce soir. Viens me prendre après souper; nous irons ensemble à ta maison; quant à la Cibo, j'en ai par-dessus les

40 oreilles; hier encore, il a fallu l'avoir sur le dos pendant toute la chasse[1]. Bonsoir, mignon. *(Il sort.)*

LORENZO, *seul.* — Ainsi, c'est convenu. Ce soir je l'emmène chez moi, et demain les républicains verront ce qu'ils ont à faire, car le duc de Florence sera mort. Il faut que j'avertisse 45 Scoronconcolo. Dépêche-toi, soleil, si tu es curieux des nouvelles que cette nuit te dira demain. *(Il sort.)*

SCÈNE II.

Une rue.

PIERRE *et* THOMAS STROZZI, *sortant de prison.*

PIERRE. — J'étais bien sûr que les Huit[2] me renverraient absous, et toi aussi. Viens, frappons à notre porte, et allons embrasser notre père. Cela est singulier; les volets sont fermés!

LE PORTIER, *ouvrant.* — Hélas! seigneurs, vous savez les 5 nouvelles?

PIERRE. — Quelles nouvelles? Tu as l'air d'un spectre qui sort d'un tombeau, à la porte de ce palais désert.

LE PORTIER. — Est-il possible que vous ne sachiez rien? *(Deux moines arrivent.)*

10 THOMAS. — Et que pourrions-nous savoir? Nous sortons de prison. Parle! qu'est-il arrivé?

LE PORTIER. — Hélas! mes pauvres seigneurs, cela est horrible à dire.

LES MOINES, *s'approchant.* — Est-ce ici le palais des Strozzi?

15 LE PORTIER. — Oui; que demandez-vous?

LES MOINES. — Nous venons chercher le corps de Louise Strozzi. Voilà l'autorisation de Philippe, afin que vous nous laissiez l'emporter.

PIERRE. — Comment dites-vous? Quel corps demandez-vous?

20 LES MOINES. — Éloignez-vous, mon enfant, vous portez sur

1. A la scène VI de l'acte III, Alexandre quittait la marquise pour aller à la chasse; il y a donc une légère contradiction. Ce détail date en tout cas la scène par rapport à l'acte précédent; 2. *Les Huit*, voir page 19, note 5.

QUESTIONS

● SCÈNE PREMIÈRE. — Cette scène forme une sorte de seconde exposition. En quoi était-elle nécessaire pour faire le point au début de cet acte?
— Pourquoi l'apostrophe au soleil qui termine la scène? (Voir l'apostrophe à la lune, scène IX.)

votre visage la ressemblance de Philippe; il n'y a rien de bon à apprendre ici pour vous.

THOMAS. — Comment? elle est morte! morte, ô Dieu du ciel! *(Il s'assoit à l'écart.)*

25 PIERRE. — Je suis plus ferme que vous ne pensez. Qui a tué ma sœur? car on ne meurt pas à son âge dans l'espace d'une nuit sans une cause extraordinaire. Qui l'a tuée, que je le tue? Répondez-moi, ou vous êtes mort vous-même.

LE PORTIER. — Hélas, hélas! qui peut le dire? Personne n'en 30 sait rien.

PIERRE. — Où est mon père? Viens, Thomas; point de larmes. Par le ciel! mon cœur se serre comme s'il allait s'ossifier dans mes entrailles, et rester un rocher pour l'éternité.

LES MOINES. — Si vous êtes le fils de Philippe, venez avec 35 nous, nous vous conduirons avec lui; il est depuis hier à notre couvent.

PIERRE. — Et je ne saurai pas qui a tué ma sœur! Écoutez-moi, prêtres; si vous êtes l'image de Dieu, vous pouvez recevoir un serment. Par tout ce qu'il y a d'instruments de supplice 40 sous le ciel, par les tortures de l'enfer... Non; je ne veux pas dire un mot. Dépêchons-nous, que je voie mon père. O dieu! ô Dieu! faites que ce que je soupçonne soit la vérité, afin que je les[1] broie sous mes pieds comme des grains de sable. Venez, venez, avant que je perde la force. Ne me dites pas un mot : 45 il s'agit là d'une vengeance, voyez-vous! telle que la colère céleste n'en a pas rêvé. *(Ils sortent.)*

SCÈNE III.

Une rue.

LORENZO, SCORONCONCOLO.

LORENZO. — Rentre chez toi, et ne manque pas de venir à minuit; tu t'enfermeras dans mon cabinet jusqu'à ce qu'on vienne t'avertir.

SCORONCONCOLO. — Oui, monseigneur. *(Il sort.)*

---

1. Les Médicis.

QUESTIONS

● SCÈNE II. — Analysez la couleur shakespearienne de la scène.
— Comment Musset a-t-il exploité ici le thème de la vengeance, si habituel à la tragédie classique?

LORENZO, *seul.* — De quel tigre a rêvé ma mère enceinte de moi? Quand on pense que j'ai aimé les fleurs, les prairies et les sonnets de Pétrarque[1]! le spectre de ma jeunesse se lève devant moi en frissonnant. O Dieu? pourquoi ce seul mot : « A ce soir ». fait-il pénétrer jusque dans mes os cette joie brûlante comme un fer rouge? De quelles entrailles fauves, de quels velus embrassements suis-je donc sorti? Que m'avait fait cet homme? Quand je pose ma main là, sur mon cœur, et que je réfléchis, — qui donc m'entendra dire demain : « Je l'ai tué », sans me répondre : « Pourquoi l'as-tu tué? » cela est étrange. Il a fait du mal aux autres, mais il m'a fait du bien, du moins à sa manière. Si j'étais resté tranquille au fond de mes solitudes de Cafaggiuolo[2], il ne serait pas venu m'y chercher, et moi je suis venu le chercher à Florence. Pourquoi cela? Le spectre de mon père me conduisait-il, comme Oreste[3], vers un nouvel Égisthe? M'avait-il offensé alors? Cela est étrange, et cependant pour cette action j'ai tout quitté; la seule pensée de ce meurtre a fait tomber en poussière les rêves de ma vie; je n'ai plus été qu'une ruine, dès que ce meurtre, comme un corbeau sinistre[4], s'est posé sur ma route et m'a appelé à lui. Que veut dire cela? Tout à l'heure, en passant sur la place, j'ai entendu deux hommes parler d'une comète. Sont-ce bien les battements d'un cœur humain que je sens là, sous les os de ma poitrine? Ah! pourquoi cette idée me vient-elle si souvent depuis quelque temps? Suis-je le bras de Dieu? Y a-t-il une nuée au-dessus de ma tête[5]? Quand j'entrerai dans cette chambre, et que je voudrai tirer mon épée du fourreau, j'ai peur de tirer l'épée flamboyante de l'archange[6] et de tomber en cendres sur ma proie. *(Il sort.)*

---

1. A cause de la pureté de l'amour exprimé par Pétrarque dans ses poésies; 2. *Cafaggiuolo :* village proche de Florence où s'est écoulée en majeure partie l'enfance de Lorenzo; 3. Agamemnon, roi de Mycènes, avait été tué au retour de la guerre de Troie par sa femme, Clytemnestre, et l'usurpateur Égisthe. Oreste le vengea quelques années après en tuant Clytemnestre et Égisthe. *Le spectre de mon père* s'applique beaucoup mieux à Hamlet de Shakespeare qu'à Oreste; 4. *Sinistre :* au sens étymologique, « qui passe à gauche », donc de mauvais présage; 5. Réminiscence biblique : dans *l'Exode* (XIII, 21), une colonne de nuées guide les Hébreux dans le désert; 6. *L'archange* saint Michel.

QUESTIONS

● SCÈNE III. — Analysez le monologue et expliquez la suite des idées. Quelles pensées nouvelles s'ajoutent à celles que Lorenzo avait exprimées à la scène III de l'acte III?

— A quoi sert ce groupe de courtes scènes?

Phot. Bernand.

MARIE SODERINI, LORENZO, CATHERINE.
Théâtre national populaire (1953).

Phot. Lipnitzki.

MARGUERITE JAMOIS DANS LE RÔLE DE LORENZO
Théâtre Montparnasse-Gaston Baty (1945).

SCÈNE IV.

Chez le marquis Cibo.

Entrent LE CARDINAL *et* LA MARQUISE.

LA MARQUISE. — Comme vous voudrez, Malaspina.

LE CARDINAL. — Oui, comme je voudrai. Pensez-y à deux fois, marquise, avant de vous jouer à moi. Êtes-vous une femme comme les autres, et faut-il qu'on ait une chaîne d'or[1]
5 au cou et un mandat[2] à la main pour que vous compreniez qui on est? Attendez-vous qu'un valet crie à tue-tête en ouvrant une porte devant moi pour savoir quelle est ma puissance? Apprenez-le : ce ne sont pas les titres qui font l'homme; je ne suis ni envoyé du pape ni capitaine de Charles Quint, je suis
10 plus que cela.

LA MARQUISE. — Oui, je le sais : César a vendu son ombre au diable : cette ombre impériale se promène affublée d'une robe rouge, sous le nom de Cibo.

LE CARDINAL. — Vous êtes la maîtresse d'Alexandre, songez
15 à cela; et votre secret est entre mes mains.

LA MARQUISE. — Faites-en ce qu'il vous plaira; nous verrons l'usage qu'un confesseur sait faire de sa conscience.

LE CARDINAL. — Vous vous trompez, ce n'est pas par votre confession que je l'ai appris; je l'ai vu de mes propres yeux :
20 je vous ai vue embrasser le duc. Vous me l'auriez avoué au confessionnal que je pourrais encore en parler sans péché, puisque je l'ai vu hors du confessionnal.

LA MARQUISE. — Eh bien! après?

LE CARDINAL. — Pourquoi le duc vous quittait-il d'un pas
25 si nonchalant, et en soupirant comme un écolier quand la cloche sonne? Vous l'avez rassasié de votre patriotisme, qui, comme une fade boisson, se mêle à tous les mets de votre table; quels livres avez-vous lus, et quelle sotte duègne était donc votre gouvernante, pour que vous ne sachiez pas que la maî-
30 tresse d'un roi parle ordinairement d'autre chose que de patriotisme?

LA MARQUISE. — J'avoue que l'on ne m'a jamais appris bien nettement de quoi devait parler la maîtresse d'un roi;

---

1. Comme les envoyés d'un roi ou d'un prince; 2. *Mandat :* pièce qui donne caractère officiel à la mission d'un diplomate ou d'un envoyé politique.

j'ai négligé de m'instruire sur ce point, comme aussi, peut-être,
35 de manger du riz pour m'engraisser, à la mode turque.

LE CARDINAL. — Il ne faut pas une grande science pour garder un amant un peu plus de trois jours.

LA MARQUISE. — Qu'un prêtre eût appris cette science à une femme, cela eût été fort simple; que ne m'avez-vous
40 conseillée?

LE CARDINAL. — Voulez-vous que je vous conseille? Prenez votre manteau, et allez vous glisser dans l'alcôve du duc. S'il s'attend à des phrases en vous voyant, prouvez-lui que vous savez n'en pas faire à toutes les heures; soyez pareille à une
45 somnambule, et faites en sorte que s'il s'endort sur ce cœur républicain, ce ne soit pas d'ennui. Êtes-vous vierge? n'y a-t-il plus de vin de Chypre? n'avez-vous pas au fond de la mémoire quelque joyeuse chanson? n'avez-vous pas lu l'Arétin[1]?

LA MARQUISE. — O ciel! j'ai entendu murmurer des mots
50 comme ceux-là à de hideuses vieilles qui grelottent sur le Marché-Neuf[2]. Si vous n'êtes pas un prêtre, êtes-vous un homme? Êtes-vous sûr que le ciel est vide, pour faire ainsi rougir votre pourpre elle-même?

LE CARDINAL. — Il n'y a rien de si vertueux que l'oreille
55 d'une femme dépravée. Feignez ou non de me comprendre, mais souvenez-vous que mon frère est votre mari.

LA MARQUISE. — Quel intérêt avez-vous à me torturer ainsi, voilà ce que je ne puis comprendre que vaguement. Vous me faites horreur : que voulez-vous de moi?

60 LE CARDINAL. — Il y a des secrets qu'une femme ne doit pas savoir, mais qu'elle peut faire prospérer en en sachant les éléments.

LA MARQUISE. — Quel fil mystérieux de vos sombres pensées voudriez-vous me faire tenir? Si vos désirs sont aussi effrayants
65 que vos menaces, parlez; montrez-moi du moins le cheveu qui suspend l'épée sur ma tête.

LE CARDINAL. — Je ne puis parler qu'en termes couverts, par la raison que je ne suis pas sûr de vous. Qu'il vous suffise de savoir que, si vous eussiez été une autre femme, vous seriez

---

1. *L'Arétin* (1492-1556). Poète et pamphlétaire, auteur de sonnets licencieux et de *Dialogues* (1532-1534) sur la profession de courtisane; 2. *Marché-Neuf* (Mercato Nuovo) : au centre de l'ancienne Florence.

70 une reine à l'heure qu'il est. Puisque vous m'appelez l'ombre de César, vous auriez vu qu'elle est assez grande pour intercepter le soleil de Florence. Savez-vous où peut conduire un sourire féminin? Alexandre est fils de pape[1], apprenez-le; et quand ce pape était à Bologne... Mais je me laisse entraîner 75 trop loin.

LA MARQUISE. — Prenez garde de vous confesser à votre tour. Si vous êtes le frère de mon mari, je suis maîtresse d'Alexandre.

LE CARDINAL. — Vous l'avez été, marquise, et bien d'autres aussi.

80 LA MARQUISE. — Je l'ai été; oui, Dieu merci! je l'ai été.

LE CARDINAL. — J'étais sûr que vous commenceriez par vos rêves; il faudra cependant que vous en veniez quelque jour aux miens. Écoutez-moi, nous nous querellons assez mal à propos, mais, en vérité, vous prenez tout au sérieux. Réconci-85 liez-vous avec Alexandre, et puisque je vous ai blessée tout à l'heure en vous disant comment, je n'ai que faire de le répéter. Laissez-vous conduire; dans un an, dans deux ans, vous me remercierez. J'ai travaillé longtemps pour être ce que je suis, et je sais où l'on peut aller. Si j'étais sûr de vous, je vous dirais 90 des choses que Dieu lui-même ne saura jamais.

LA MARQUISE. — N'espérez rien et soyez assuré de mon mépris. *(Elle veut sortir.)*

LE CARDINAL. — Un instant! pas si vite! N'entendez-vous pas le bruit d'un cheval? mon frère ne doit-il pas revenir aujour-95 d'hui ou demain? me connaissez-vous pour un homme qui a deux paroles? Allez au palais ce soir, ou vous êtes perdue.

LA MARQUISE. — Mais enfin, que vous soyez ambitieux, que tous les moyens vous soient bons, je le conçois; mais parlerez-vous plus clairement? Voyons, Malaspina, je ne veux pas 100 désespérer tout à fait de ma perversion. Si vous pouvez me convaincre, faites-le, parlez-moi franchement. Quel est votre but?

LE CARDINAL. — Vous ne désespérez pas de vous laisser convaincre, n'est-il pas vrai? Me prenez-vous pour un enfant,

---

1. *Pape*. Voir page 27, note 2. Alexandre passait pour le fils du pape Clément VII, mort en 1534. Ce n'est donc pas le pape régnant en 1537. Certains éditeurs ont corrigé *d'un pape*.

105 et croyez-vous qu'il suffise de me frotter les lèvres de miel[1] pour me les desserrer? Agissez d'abord, je parlerai après. Le jour où, comme femme, vous aurez pris l'empire nécessaire, non pas sur l'esprit d'Alexandre, duc de Florence, mais sur le cœur d'Alexandre, votre amant, je vous apprendrai le reste,
110 et vous saurez ce que j'attends.

LA MARQUISE. — Ainsi donc, quand j'aurai lu l'Arétin pour me donner une première expérience, j'aurai à lire, pour en acquérir une seconde, le livre secret de vos pensées? Voulez-vous que je vous dise, moi, ce que vous n'osez pas me dire?
115 Vous servez le pape jusqu'à ce que l'empereur trouve que vous êtes meilleur valet que le pape lui-même. Vous espérez qu'un jour César vous devra bien réellement, bien complètement l'esclavage de l'Italie, et ce jour-là, — oh! ce jour-là, n'est-il pas vrai? — celui qui est le roi de la moitié du monde pourrait
120 bien vous donner en récompense le chétif héritage des cieux. Pour gouverner Florence en gouvernant le duc, vous vous feriez femme tout à l'heure[2], si vous pouviez. Quand la pauvre Ricciarda Cibo aura fait faire deux ou trois coups d'État à Alexandre, on aura bientôt ajouté que Ricciarda Cibo mène
125 le duc, mais qu'elle est menée par son beau-frère; et, comme vous dites, qui sait jusqu'où les larmes des peuples, devenues un océan, pourraient lancer votre barque? Est-ce à peu près cela? Mon imagination ne peut aller aussi loin que la vôtre, sans doute; mais je crois que c'est à peu près cela.

130 LE CARDINAL. — Allez ce soir chez le duc, ou vous êtes perdue.

LA MARQUISE. — Perdue? et comment?

LE CARDINAL. — Ton mari saura tout.

LA MARQUISE. — Faites-le, faites-le, je me tuerai.

LE CARDINAL. — Menace de femme! Écoutez-moi. Que vous
135 m'ayez compris bien ou mal, allez ce soir chez le duc.

LA MARQUISE. — Non.

LE CARDINAL. — Voilà votre mari qui entre dans la cour. Par tout ce qu'il y a de sacré au monde, je lui raconte tout, si vous dites non encore une fois.

140 LA MARQUISE. — Non, non, non! *(Entre le marquis.)* Laurent,

---

1. C'est-à-dire de le flatter pour apprendre ses desseins; 2. *Tout à l'heure*, tout de suite (sens classique).

pendant que vous étiez à Massa, je me suis livrée à Alexandre, je me suis livrée, sachant qui il était, et quel rôle misérable j'allais jouer. Mais voilà un prêtre qui veut m'en faire jouer un plus vil encore; il me propose des horreurs pour m'assu-
145 rer le titre de maîtresse du duc et le tourner à son profit. *(Elle se jette à genoux.)*

LE MARQUIS. — Êtes-vous folle? Que veut-elle dire, Malaspina? — Eh bien! vous voilà comme une statue. Ceci est-il une comédie, cardinal? Eh bien donc! que faut-il que j'en pense?

150 LE CARDINAL. — Ah! corps du Christ! *(Il sort.)*

LE MARQUIS. — Elle est évanouie. Holà! qu'on apporte du vinaigre.

SCÈNE V.

La chambre de Lorenzo.

LORENZO, DEUX DOMESTIQUES.

LORENZO. — Quand vous aurez placé ces fleurs sur la table et celles-ci au pied du lit, vous ferez un bon feu, mais de manière à ce que cette nuit la flamme ne flambe pas, et que les charbons échauffent sans éclairer. Vous me donnerez la clef, et
5 vous irez vous coucher. *(Entre Catherine.)*

CATHERINE. — Notre mère est malade; ne viens-tu pas la voir, Renzo?

LORENZO. — Ma mère est malade?

CATHERINE. — Hélas! je ne puis te cacher la vérité. J'ai reçu
10 hier un billet du duc, dans lequel il me disait que tu avais dû me parler d'amour pour lui; cette lecture a fait bien du mal à Marie.

QUESTIONS

● SCÈNE IV. — La composition de la scène. La raison d'être des différents mouvements et leur importance respective.

— On peut reprocher ici au rôle du cardinal de manquer de vraisemblance; qu'en pensez-vous?

— Vous démêlerez en termes clairs les différentes intrigues que conduit le cardinal.

— Quelle intention avait Musset en écrivant cette scène et en la plaçant à cet endroit? — Comparez le rythme de cette scène avec celui de la scène III de l'acte premier et celui de la scène III de l'acte II, où s'affrontaient les mêmes personnages. Quelles indications le retour du marquis donne-t-il sur la durée du drame?

LORENZO. — Cependant je ne t'avais pas parlé de cela. N'as-tu pas pu lui dire que je n'étais pour rien là-dedans?

15 CATHERINE. — Je le lui ai dit. Pourquoi ta chambre est-elle aujourd'hui si belle et en si bon état? je ne croyais pas que l'esprit d'ordre fût ton majordome.

LORENZO. — Le duc t'a donc écrit? Cela est singulier que je ne l'aie point su. Et, dis-moi, que penses-tu de sa lettre?

20 CATHERINE. — Ce que j'en pense?

LORENZO. — Oui, de la déclaration d'Alexandre. Qu'en pense ce petit cœur innocent?

CATHERINE. — Que veux-tu que j'en pense?

LORENZO. — N'as-tu pas été flattée? Un amour qui fait 25 l'envie de tant de femmes! un titre si beau à conquérir, la maîtresse de... Va-t'en, Catherine, va dire à ma mère que je te suis. Sors d'ici. Laisse-moi! *(Catherine sort.)* Par le ciel! quel homme de cire suis-je donc! Le vice, comme la robe de Déjanire[1], s'est-il si profondément incorporé à mes fibres, que 30 je ne puisse plus répondre de ma langue, et que l'air qui sort de mes lèvres se fasse ruffian malgré moi? J'allais corrompre Catherine; je crois que je corromprais ma mère, si mon cerveau le prenait à tâche; car Dieu sait quelle corde et quel arc les dieux ont tendus dans ma tête, et quelle force ont les flèches 35 qui en partent. Si tous les hommes sont les parcelles d'un foyer immense, assurément l'être inconnu qui m'a pétri a laissé tomber un tison au lieu d'une étincelle dans ce corps faible et chancelant. Je puis délibérer et choisir, mais non revenir sur mes pas quand j'ai choisi. O Dieu! les jeunes gens 40 à la mode ne se font-ils pas une gloire d'être vicieux, et les enfants qui sortent du collège ont-ils quelque chose de plus pressé que de se pervertir[2]? Quel bourbier doit donc être l'espèce humaine qui se rue ainsi dans les tavernes avec des lèvres affamées de débauche, quand moi, qui n'ai voulu prendre 45 qu'un masque pareil à leurs visages, je ne puis ni me retrouver moi-même ni laver mes mains, même avec du sang! Pauvre Catherine! tu mourrais cependant comme Louise Strozzi, ou tu te laisserais tomber comme tant d'autres dans l'éternel

---

1. *Déjanire :* femme d'Héraklès. Pour se venger du héros, le centaure Nessous fit cadeau à Déjanire d'une tunique teinte de son propre sang, qui était censée ramener à sa femme Héraklès infidèle. Déjanire le crut et fit ainsi mourir son mari; 2. Confession personnelle de Musset, en effet entré dans le monde des dandys dès sa sortie du collège (voir *la Confession d'un enfant du siècle*).

abîme si je n'étais pas là. O Alexandre! je ne suis pas dévot,
50 mais je voudrais, en vérité, que tu fisses ta prière avant de venir ce soir dans cette chambre[1]. Catherine n'est-elle pas vertueuse, irréprochable! Combien faudrait-il pourtant de paroles pour faire de cette colombe ignorante la proie de ce gladiateur aux poils roux! Quand je pense que j'ai failli parler! Que de
55 filles maudites par leurs pères rôdent au coin des bornes, ou regardent leur tête rasée dans le miroir cassé d'une cellule, qui ont valu tout autant que Catherine, et qui ont écouté un ruffian moins habile que moi! Eh bien! j'ai commis bien des crimes, et si ma vie est jamais dans la balance d'un juge quel-
60 conque, il y aura d'un côté une montagne de sanglots, mais il y aura peut-être de l'autre une goutte de lait pur tombée du sein de Catherine, et qui aura nourri d'honnêtes enfants. *(Il sort.)*

SCÈNE VI.

Une vallée; un couvent dans le fond.

Entrent PHILIPPE STROZZI *et* DEUX MOINES; *des novices portent le cercueil de Louise; ils le posent dans un tombeau.*

PHILIPPE. — Avant de la mettre dans son dernier lit, laissez-moi l'embrasser. Lorsqu'elle était couchée, c'est ainsi que je me penchais sur elle pour lui donner le baiser du soir. Ses yeux mélancoliques étaient ainsi fermés à demi; mais ils se rou-
5 vraient au premier rayon du soleil, comme deux fleurs d'azur; elle se levait doucement, le sourire sur les lèvres, et elle venait rendre à son vieux père son baiser de la veille. Sa figure céleste rendait délicieux un moment bien triste, le réveil d'un homme fatigué de la vie. Un jour de plus, pensais-je en voyant l'aurore,
10 un sillon de plus dans mon champ! Mais alors j'apercevais ma fille, la vie m'apparaissait sous la forme de sa beauté, et la clarté du jour était la bienvenue. *(On ferme le tombeau.)*

1. Souvenirs de Shakespeare. Othello a un scrupule semblable avant de tuer Desdémone. Hamlet, au contraire, évite de tuer son oncle en prières parce qu'il ne veut pas le faire mourir en état de grâce.

QUESTIONS

● SCÈNE V. — Expliquez en détail les sentiments de Lorenzo dans la dernière tirade.

— Comment Musset s'est-il arrangé pour ne pas rendre le personnage tout à fait odieux?

— Que signifient les dernières lignes de la scène dans un langage moins métaphorique?

PIERRE STROZZI, *derrière la scène.* — Par ici, venez, par ici.

PHILIPPE. — Tu ne te lèveras plus de ta couche; tu ne poseras
15 plus tes pieds nus sur ce gazon pour revenir trouver ton père. O ma Louise! Il n'y a que Dieu qui a su qui tu étais, et moi, moi, moi.

PIERRE, *entrant.* — Ils sont cent à Sestino[1] qui arrivent du Piémont. Venez, Philippe; le temps des larmes est passé.

20 PHILIPPE. — Enfant, sais-tu ce que c'est que le temps des larmes?

PIERRE. — Les bannis se sont rassemblés à Sestino; il est temps de penser à la vengeance; marchons franchement sur Florence avec notre petite armée. Si nous pouvons arriver à
25 propos pendant la nuit et surprendre les postes de la citadelle, tout est dit. Par le ciel! j'élèverai à ma sœur un autre mausolée que celui-là.

PHILIPPE. — Non pas moi; allez sans moi, mes amis.

PIERRE. — Nous ne pouvons nous passer de vous; sachez-le,
30 les confédérés comptent sur votre nom; François Ier lui-même attend de vous un mouvement en faveur de la liberté[2]. Il vous écrit comme aux chefs des républicains florentins; voilà sa lettre.

PHILIPPE *ouvre la lettre.* — Dis à celui qui t'a apporté cette
35 lettre qu'il réponde ceci au roi de France : « Le jour où Philippe portera les armes contre son pays, il sera devenu fou. »

PIERRE. — Quelle est cette nouvelle sentence?

PHILIPPE. — Celle qui me convient.

PIERRE. — Ainsi vous perdez la cause des bannis pour le
40 plaisir de faire une phrase? Prenez garde, mon père, il ne s'agit pas là d'un passage de Pline[3]; réfléchissez avant de dire non.

PHILIPPE. — Il y a soixante ans que je sais ce que je devais répondre à la lettre du roi de France.

45 PIERRE. — Cela passe toute idée! vous me forceriez à vous dire de certaines choses... Venez avec nous, mon père, je vous

---

1. *Sestino :* petit bourg voisin d'Arezzo; 2. Pierre Strozzi a en effet tenté de s'appuyer sur François Ier pour renverser les Médicis. Voir les notes sur les personnages, page 18, note 8; 3. Philippe Strozzi était, en effet, un humaniste. Il avait entrepris de corriger l'*Histoire naturelle* de Pline l'Ancien.

en supplie. Lorsque j'allais chez les Pazzi, ne m'avez-vous pas dit : « Emmène-moi? » Cela était-il différent alors?

PHILIPPE. — Très différent. Un père offensé qui sort de sa 50 maison l'épée à la main, avec ses amis, pour aller réclamer justice est très différent d'un rebelle qui porte les armes contre son pays, en rase campagne et au mépris des lois.

PIERRE. — Il s'agissait bien de réclamer justice! il s'agissait d'assommer Alexandre! Qu'est-ce qu'il y a de changé aujour-55 d'hui? Vous n'aimez pas votre pays, ou sans cela vous profiteriez d'une occasion comme celle-ci.

PHILIPPE. — Une occasion! mon Dieu! cela une occasion. *(Il frappe le tombeau.)*

PIERRE. — Laissez-vous fléchir.

60 PHILIPPE. — Je n'ai pas une douleur ambitieuse. Laissez-moi seul, j'en ai assez dit.

PIERRE. — Vieillard obstiné! inexorable faiseur de sentences! vous serez cause de notre perte.

PHILIPPE. — Tais-toi, insolent! sors d'ici!

65 PIERRE. — Je ne puis dire ce qui se passe en moi. Allez où il vous plaira, nous agirons sans vous cette fois. Eh, mort de Dieu! il ne sera pas dit que tout soit perdu faute d'un traducteur de latin! *(Il sort.)*

PHILIPPE. — Ton jour est venu, Philippe! tout cela signifie 70 que ton jour est venu.

SCÈNE VII

Le bord de l'Arno, un quai. On voit une longue suite de palais.

LORENZO, *entrant.* — Voilà le soleil qui se couche; je n'ai pas de temps à perdre, et cependant tout ressemble ici à du temps perdu. *(Il frappe à une porte.)* Holà! seigneur Alamanno! holà!

5 ALAMANNO, *sur la terrasse.* — Qui est là? que me voulez-vous?

QUESTIONS

● SCÈNE VI. — Le décor de cette scène : comment le pathétique de mélodrame s'harmonise-t-il avec le débat politique? — Commentez la scène du point de vue historique.

— Expliquez le second revirement de Philippe.

— Le spectateur partage-t-il sur Philippe l'opinion irrespectueuse de son fils Pierre? Quel trait de caractère se confirme ici chez Pierre Strozzi?

LORENZO. — Je viens vous avertir que le duc doit être tué cette nuit; prenez vos mesures pour demain avec vos amis si vous aimez la liberté[1].

ALAMANNO. — Par qui doit être tué Alexandre?

10 LORENZO. — Par Lorenzo de Médicis.

ALAMANNO. — C'est toi, Renzinaccio? Eh! entre donc souper avec de bons vivants qui sont dans mon salon.

LORENZO. — Je n'ai pas le temps; préparez-vous à agir demain.

ALAMANNO. — Tu veux tuer le duc, toi? Allons donc! tu 15 as un coup de vin dans la tête. *(Il rentre chez lui.)*

LORENZO, *seul.* — Peut-être que j'ai tort de leur dire que c'est moi qui tuerai Alexandre, car tout le monde refuse de me croire. *(Il frappe à une porte.)* Holà! seigneur Pazzi! holà!

PAZZI, *sur sa terrasse.* — Qui m'appelle?

20 LORENZO. — Je viens vous dire que le duc sera tué cette nuit; tâchez d'agir demain pour la liberté de Florence.

PAZZI. — Qui doit tuer le duc?

LORENZO. — Peu importe, agissez toujours, vous et vos amis. Je ne puis vous dire le nom de l'homme.

25 PAZZI. — Tu es fou, drôle, va-t'en au diable! *(Il rentre.)*

LORENZO, *seul.* — Il est clair que si je ne dis pas que c'est moi, on me croira encore moins. *(Il frappe à une porte.)* Holà! seigneur Corsini!

LE PROVÉDITEUR, *sur sa terrasse.* — Qu'est-ce donc?

30 LORENZO. — Le duc Alexandre sera tué cette nuit.

LE PROVÉDITEUR. — Vraiment, Lorenzo! Si tu es gris, va plaisanter ailleurs. Tu m'as blessé bien mal à propos un cheval au bal des Nasi[2]; que le diable te confonde! *(Il rentre.)*

LORENZO. — Pauvre Florence! pauvre Florence! *(Il sort.)*

---

1. Toute la scène est historique, à ceci près que Lorenzo, dans la réalité, ne prévient les conspirateurs qu'après le meurtre. Les raisons de ce changement sont d'ordre dramatique; 2. Rappel d'un détail de la scène II de l'acte premier (voir page 29, lignes 176-182).

QUESTIONS

● SCÈNE VII. — Le mélange du tragique et du comique.

— Pourquoi Musset a-t-il transporté avant le meurtre cette scène qui eut lieu après en réalité?

— Les scènes d'extérieur se multiplient au quatrième acte. En plus de la vraisemblance matérielle, voyez-vous des raisons d'ordre dramatique?

— Comment cette scène peut-elle être réalisable au théâtre? Imaginez une mise en scène appropriée.

Scène VIII.

Une plaine.

Entrent PIERRE STROZZI *et* DEUX BANNIS.

PIERRE. — Mon père ne veut pas venir. Il m'a été impossible de lui faire entendre raison.

PREMIER BANNI. — Je n'annoncerai pas cela à mes camarades : il y a de quoi les mettre en déroute.

5 PIERRE. — Pourquoi? Montez à cheval ce soir; allez bride abattue à Sestino[1]; j'y serai demain matin. Dites que Philippe a refusé, mais que Pierre ne refuse pas.

PREMIER BANNI. — Les confédérés veulent le nom de Philippe : nous ne ferons rien sans cela.

10 PIERRE. — Le nom de famille de Philippe est le même que le mien; dites que Strozzi viendra, cela suffit.

PREMIER BANNI. — On me demandera lequel des Strozzi, et si je ne réponds pas : Philippe, rien ne se fera.

PIERRE. — Imbécile! fais ce qu'on te dit, et ne réponds que 15 pour toi-même. Comment sais-tu d'avance que rien ne se fera?

PREMIER BANNI. — Seigneur, il ne faut pas maltraiter les gens.

PIERRE. — Allons! monte à cheval, et va à Sestino.

PREMIER BANNI. — Ma foi, monsieur, mon cheval est fatigué; 20 j'ai fait douze lieues dans la nuit. Je n'ai pas envie de le seller à cette heure.

PIERRE. — Tu n'es qu'un sot. *(A l'autre banni.)* Allez-y, vous : vous vous y prendrez mieux.

DEUXIÈME BANNI. — Le camarade n'a pas tort pour ce qui 25 regarde Philippe; il est certain que son nom ferait bien pour la cause.

PIERRE. — Lâches! manants sans cœur! ce qui fait bien pour la cause, ce sont vos femmes et vos enfants qui meurent de faim, entendez-vous? Le nom de Philippe leur remplira la 30 bouche, mais il ne leur remplira pas le ventre. Quels pourceaux êtes-vous!

---

1. Voir page 118, note 1.

DEUXIÈME BANNI. — Il est impossible de s'entendre avec un homme aussi grossier; allons-nous-en, camarade.

PIERRE. — Va au diable, canaille! et dis à tes confédérés
35 que, s'ils ne veulent pas de moi, le roi de France en veut, lui; et qu'ils prennent garde qu'on ne me donne la main haute sur vous tous[1]!

DEUXIÈME BANNI, *à l'autre.* — Viens, camarade, allons souper; je suis, comme toi, excédé de fatigue. *(Ils sortent.)*

SCÈNE IX.

Une place; il est nuit.

Entre LORENZO. — Je lui dirai que c'est un motif de pudeur, et j'emporterai la lumière; — cela se fait tous les jours; — une nouvelle mariée, par exemple, exige cela de son mari pour entrer dans la chambre nuptiale, et Catherine passe pour très
5 vertueuse. — Pauvre fille! qui l'est sous le soleil, si elle ne l'est pas! Que ma mère mourût de tout cela, voilà ce qui pourrait arriver.

Ainsi donc voilà qui est fait. Patience! une heure est une heure, et l'horloge vient de sonner. Si vous y tenez cependant!
10 Mais non, pourquoi? Emporte le flambeau si tu veux; la première fois qu'une femme se donne, cela est tout simple. — Entrez donc, chauffez-vous donc un peu. — Oh! mon Dieu, oui, pur caprice de jeune fille[2]; et quel motif de croire à ce meurtre? Cela pourra les étonner, même Philippe.
15 Te voilà, toi, face livide! *(La lune paraît.)* Si les républicains étaient des hommes, quelle révolution demain dans la ville! Mais Pierre est un ambitieux; les Ruccellai seuls valent quelque chose. — Ah! les mots, les mots, les éternelles paroles! S'il y a quelqu'un là-haut, il doit bien rire de nous tous; cela est
20 très comique, vraiment. — O bavardage humain! ô grand tueur de corps morts! grand défonceur de portes ouvertes! ô homme sans bras!

1. Une fois que François Ier aura conquis la Toscane; 2. Dans cette première partie du monologue, Lorenzo imagine l'arrivée du duc, les propos qu'il tiendra lui-même pour justifier qu'il emporte la lumière, les réponses d'Alexandre, etc.; tout cela mêlé de réflexions qu'il fait sur lui-même.

QUESTIONS

● SCÈNE VIII. — Est-ce une faute ou une habileté de la part de Musset d'avoir montré la dérobade des bannis avant même le meurtre d'Alexandre?
— Le rôle des bannis depuis le début du drame.

Non! non! je n'emporterai pas la lumière. — J'irai droit au cœur; il se verra tuer... Sang du Christ! on se mettra demain
25 aux fenêtres.

Pourvu qu'il n'ait pas imaginé quelque cuirasse nouvelle, quelque cotte de mailles. Maudite invention! Lutter avec Dieu et le diable, ce n'est rien; mais lutter avec des bouts de ferraille croisés les uns sur les autres par la main sale d'un armurier!
30 — Je passerai le second pour entrer; il posera son épée là, — ou là, oui, sur le canapé. — Quant à l'affaire du baudrier à rouler autour de la garde, cela est aisé. S'il pouvait lui prendre fantaisie de se coucher, voilà où serait le vrai moyen. Couché, assis, ou debout? Assis plutôt. Je commencerai par sortir.
35 Scoronconcolo est enfermé dans le cabinet. Alors nous venons, nous venons! Je ne voudrais pourtant pas qu'il tournât le dos. J'irai à lui tout droit. Allons! la paix, la paix! l'heure va venir. — Il faut que j'aille dans quelque cabaret; je ne m'aperçois pas que je prends du froid, et je viderai un flacon. — Non,
40 je ne veux pas boire. Où diable vais-je donc? les cabarets sont fermés.

Est-elle bonne fille? — oui, vraiment — En chemise? — oh! non, non, je ne le pense pas. — Pauvre Catherine! — Que ma mère mourût de tout cela, ce serait triste. Et quand je lui
45 aurais dit mon projet, qu'aurais-je pu y faire? au lieu de la consoler, cela lui aurait fait dire : « Crime, crime! » jusqu'à son dernier soupir. Je ne sais pourquoi je marche, je tombe de lassitude. *(Il s'assoit sur un banc.)*

Pauvre Philippe! une fille belle comme le jour! Une seule
50 fois, je me suis assis près d'elle sous le marronnier; ces petites mains blanches, comme cela travaillait! Que de journées j'ai passées, moi, assis sous les arbres! Ah! quelle tranquillité! quel horizon à Cafaggiuolo! Jeannette était jolie, la petite fille du concierge, en faisant sécher sa lessive. Comme elle
55 chassait les chèvres qui venaient marcher sur son linge étendu sur le gazon! la chèvre blanche revenait toujours avec ses grandes pattes menues. *(Une horloge sonne.)*

Ah! ah! il faut que j'aille là-bas. — Bonsoir, mignon; eh! trinque donc avec Giomo. — Bon vin! Cela serait plaisant
60 qu'il lui vînt à l'idée de me dire : « Ta chambre est-elle retirée? entendra-t-on quelque chose du voisinage? » Cela sera plaisant. Ah! on y a pourvu. Oui, cela serait drôle qu'il lui vînt cette idée.

Je me trompe d'heure; ce n'est que la demie. Quelle est

65 donc cette lumière sous le portique de l'église? on taille, on remue les pierres. Il paraît que ces hommes sont courageux avec les pierres. Comme ils coupent, comme ils enfoncent! Ils font un crucifix; avec quel courage ils le clouent! Je voudrais voir que leur cadavre de marbre les prît tout d'un coup à la 70 gorge.

Eh bien! eh bien! quoi donc? J'ai des envies de danser qui sont incroyables. Je crois, si je m'y laissais aller, que je sauterais comme un moineau sur tous ces gros plâtras et sur toutes ces poutres. Eh, mignon! eh, mignon! mettez vos gants neufs, 75 un plus bel habit que cela; tra la la! faites-vous beau, la mariée est belle. Mais, je vous le dis à l'oreille, prenez garde à son petit couteau. *(Il sort en courant.)*

SCÈNE X.

Chez le duc.

LE DUC, *à souper;* GIOMO. — *Entre le cardinal* CIBO.

LE CARDINAL. — Altesse, prenez garde à Lorenzo.

LE DUC. — Vous voilà, cardinal! asseyez-vous donc, et prenez donc un verre.

LE CARDINAL. — Prenez garde à Lorenzo, duc. Il a été 5 demander ce soir à l'évêque de Marzi[1] la permission d'avoir des chevaux de poste cette nuit.

LE DUC. — Cela ne se peut pas.

LE CARDINAL. — Je le tiens de l'évêque lui-même.

LE DUC. — Allons-donc! Je vous dis que j'ai de bonnes rai-10 sons pour savoir que cela ne se peut pas.

LE CARDINAL. — Me faire croire est peut-être impossible. Je remplis mon devoir en vous avertissant.

1. *Marzi :* c'est un nom de personne, pas un nom de ville. En réalité, Lorenzo obtint ses chevaux après le meurtre, à l'aide d'une fausse lettre que l'évêque, à demi endormi, ne reconnut pas pour un faux.

QUESTIONS

● SCÈNE IX. — Le mouvement de ce monologue : comparez-le aux monologues de Lorenzo des scènes III et V de ce même acte. Comparez-le également à un monologue de tragédie classique. Quelle est la différence essentielle dans la composition?

— A travers l'incohérence apparente des images, qui se fixent tantôt sur le passé, tantôt sur le présent, tantôt sur l'avenir, quel état d'âme Musset veut-il exprimer chez son personnage?

— La scène donne-t-elle des éclaircissements nouveaux sur les motifs de Lorenzo?

LE DUC. — Quand cela serait vrai, que voyez-vous d'effrayant à cela? Il va peut-être à Cafaggiuolo.

15 LE CARDINAL. — Ce qu'il y a d'effrayant, monseigneur, c'est qu'en passant sur la place pour venir ici, je l'ai vu de mes yeux sauter sur des poutres et des pierres comme un fou. Je l'ai appelé, et je suis forcé d'en convenir, son regard m'a fait peur. Soyez certain qu'il mûrit dans sa tête quelque projet
20 pour cette nuit.

LE DUC. — Et pourquoi ces projets me seraient-ils dangereux?

LE CARDINAL. — Faut-il tout dire, même quand on parle d'un favori? Apprenez qu'il a dit ce soir à deux personnes de ma connaissance, publiquement sur leur terrasse, qu'il
25 vous tuerait cette nuit.

LE DUC. — Buvez donc un verre de vin, cardinal. Est-ce que vous ne savez pas que Renzo est ordinairement gris au coucher du soleil? *(Entre sire Maurice.)*

SIRE MAURICE. — Altesse, défiez-vous de Lorenzo. Il a dit
30 à trois de mes amis, ce soir, qu'il voulait vous tuer cette nuit.

LE DUC. — Et vous aussi, brave Maurice, vous croyez aux fables! je vous croyais plus homme que cela.

SIRE MAURICE. — Votre Altesse sait si je m'effraye sans raison. Ce que je dis, je puis le prouver.

35 LE DUC. — Asseyez-vous donc, et trinquez avec le cardinal; vous ne trouverez pas mauvais que j'aille à mes affaires. *(Entre Lorenzo.)* Eh bien! mignon, est-il déjà temps?

LORENZO. — Il est minuit tout à l'heure[1].

LE DUC. — Qu'on me donne mon pourpoint de zibeline!

40 LORENZO. — Dépêchons-nous; votre belle est peut-être déjà au rendez-vous.

LE DUC. — Quels gants faut-il prendre? ceux de guerre ou ceux d'amour?

LORENZO. — Ceux d'amour, Altesse.

45 LE DUC. — Soit, je veux être un vert galant. *(Ils sortent.)*

SIRE MAURICE. — Que dites-vous de cela, cardinal?

---

1. *Tout à l'heure :* dans un instant. Voir aussi page 114, note 2.

LE CARDINAL. — Que la volonté de Dieu se fait malgré les hommes[1]. *(Ils sortent.)*

SCÈNE XI.

La chambre de Lorenzo.

Entrent LE DUC *et* LORENZO.

LE DUC. — Je suis transi, — il fait vraiment froid[2]. *(Il ôte son épée.)* Eh bien! mignon, qu'est-ce que tu fais donc?

LORENZO. — Je roule votre baudrier autour de votre épée, et je la mets sous votre chevet. Il est bon d'avoir toujours une
5 arme sous la main. *(Il entortille le baudrier de manière à empêcher l'épée de sortir du fourreau.)*

LE DUC. — Tu sais que je n'aime pas les bavardes, et il m'est revenu que la Catherine était une belle parleuse. Pour éviter les conversations, je vais me mettre au lit. — A propos, pour-
10 quoi donc as-tu fait demander des chevaux de poste à l'évêque de Marzi?

LORENZO. — Pour aller voir mon frère, qui est très malade, à ce qu'il m'écrit.

LE DUC. — Va donc chercher ta tante.

15 LORENZO. — Dans un instant. *(Il sort.)*

LE DUC, *seul.* — Faire la cour à une femme qui vous répond oui lorsqu'on lui demande oui ou non, cela m'a toujours paru très sot et tout à fait digne d'un Français. Aujourd'hui surtout que j'ai soupé comme trois moines, je serais incapable de dire
20 seulement : « Mon cœur », ou : « Mes chères entrailles », à l'infante d'Espagne[3]. Je veux faire semblant de dormir; ce sera peut-être cavalier, mais ce sera commode. *(Il se couche. — Lorenzo rentre l'épée à la main.)*

LORENZO. — Dormez-vous seigneur? *(Il le frappe.)*

25 LE DUC. — C'est toi, Renzo?

---

1. Les romantiques ont souvent repris le thème de la fatalité, renouvelé des Anciens; **2.** La scène se passe le 6 janvier; **3.** Voir page 100, note 2. La très jeune fille de Charles Quint, qu'Alexandre avait épousée par ambition malgré son âge. Soit par jeu, soit par respect pour sa naissance, il la traitait avec beaucoup d'égards.

QUESTIONS

● SCÈNE X. — Valeur dramatique de la scène. Son rôle dans l'action. Rapprochez le rôle joué ici par le cardinal et sire Maurice de celui qu'ils ont tenu dès la scène IV de l'acte premier.

— Étudiez dans cette scène le thème de la fatalité, qui arrive à ses fins *malgré les hommes*, et cependant par eux.

LORENZO. — Seigneur, n'en doutez pas. *(Il le frappe de nouveau. — Entre Scoronconcolo.)*

SCORONCONCOLO. — Est-ce fait?

LORENZO. — Regarde, il m'a mordu au doigt[1]. Je garderai
30 jusqu'à la mort cette bague sanglante, inestimable diamant.

SCORONCONCOLO. — Ah! mon Dieu! c'est le duc de Florence!

LORENZO, *s'asseyant sur le bord de la fenêtre.* — Que la nuit est belle! que l'air du ciel est pur! Respire, respire, cœur navré de joie!

35 SCORONCONCOLO. — Viens, maître, nous en avons trop fait; sauvons-nous.

LORENZO. — Que le vent du soir est doux et embaumé! comme les fleurs des prairies s'entr'ouvrent! O nature magnifique! ô éternel repos!

40 SCORONCONCOLO. — Le vent va glacer sur votre visage la sueur qui en découle. Venez, seigneur.

LORENZO. — Ah! Dieu de bonté! quel moment!

SCORONCONCOLO, *à part.* — Son âme se dilate singulièrement. Quant à moi, je prendrai les devants. *(Il veut sortir.)*

45 LORENZO. — Attends, tire ces rideaux. Maintenant, donne-moi la clef de cette chambre.

SCORONCONCOLO. — Pourvu que les voisins n'aient rien entendu!

LORENZO. — Ne te souviens-tu pas qu'ils sont habitués à
50 notre tapage? Viens, partons[2]. *(Ils sortent.)*

---

1. Fait authentique et attesté de plusieurs côtés; 2. Lorenzo voulut en réalité tuer tout l'entourage du duc. Il en résulta une altercation avec Scoronconcolo, que Musset a supprimée avec très juste raison.

QUESTIONS

● SCÈNE XI. — Un précepte ancien dit : « Que Médée ne tue pas ses enfants sur la scène. » Vous donnerez votre avis sur la question en prenant cette scène comme exemple. En quoi la conception romantique diffère-t-elle sur ce point des règles classiques?

— Les réactions de Lorenzo après le meurtre. Sont-elles conformes à ce que nous pouvions attendre de lui?

■ SUR L'ENSEMBLE DE L'ACTE IV. — La part de Lorenzo dans cet acte du meurtre; la progression dramatique jusqu'à la scène finale. Importance du monologue de Lorenzo.

— L'échec et le désarroi des Strozzi, de la marquise Cibo : le triomphe de Lorenzo. Comment la composition de ce quatrième acte rend-elle sensible ce développement de l'action?

— Pourquoi le meurtre d'Alexandre ne constitue-t-il pas le dénouement?

ACTE V

SCÈNE PREMIÈRE.

Au palais du duc.

Entrent VALORI, SIRE MAURICE *et* GUICCIARDINI[1].
Une foule de courtisans circulent dans la salle et dans les environs.

SIRE MAURICE. — Giomo n'est pas revenu encore de son message; cela devient de plus en plus inquiétant.

GUICCIARDINI. — Le voilà qui entre dans la salle. *(Entre Giomo.)*

5 SIRE MAURICE. — Eh bien! qu'as-tu appris?

GIOMO. — Rien du tout. *(Il sort.)*

GUICCIARDINI. — Il ne veut pas répondre; le cardinal Cibo est enfermé dans le cabinet du duc; c'est à lui seul que les nouvelles arrivent. *(Entre un autre messager.)* Eh bien! le duc 10 est-il retrouvé? sait-on ce qu'il est devenu?

LE MESSAGER. — Je ne sais pas. *(Il entre dans le cabinet.)*

VALORI. — Quel événement épouvantable, messieurs, que cette disparition! point de nouvelles du duc. Ne disiez-vous pas, sire Maurice, que vous l'avez vu hier au soir? Il ne parais-15 sait pas malade? *(Rentre Giomo.)*

GIOMO, *à sire Maurice.* — Je puis vous le dire à l'oreille, le duc est assassiné.

SIRE MAURICE. — Assassiné! par qui? où l'avez-vous trouvé?

GIOMO. — Où vous nous aviez dit : — dans la chambre de 20 Lorenzo.

SIRE MAURICE. — Ah! sang du diable! Le cardinal le sait-il?

GIOMO. — Oui, excellence.

---

1. *Guicciardini.* François Guichardin (1483-1540), historien et homme politique. Il avait été conseiller du pape Clément VII et il avait contribué à l'élection d'Alexandre, sous lequel il était devenu tout-puissant. C'est surtout grâce à ses intrigues que Côme fut élu; mais Côme fut moins docile aux avis de Guichardin que son prédécesseur, et Guichardin mourut en disgrâce. A noter qu'il ne figure pas dans la liste des personnages donnée par Musset. C'est également le cas de plusieurs autres personnages de cette scène, mais les autres font partie des Huit, que Musset a mentionnés collectivement.

SIRE MAURICE. — Que décide-t-il? qu'y a-t-il à faire? Déjà le peuple se porte en foule devant le palais; toute cette hideuse
25 affaire a transpiré; nous sommes morts si elle se confirme; on nous massacrera. *(Des valets portant des tonneaux pleins de vin et de comestibles passent dans le fond*[1]*.)*

GUICCIARDINI. — Que signifie cela? va-t-on faire des distributions au peuple? *(Entre un seigneur de la cour.)*

30 LE SEIGNEUR. — Le duc est-il visible, messieurs? Voilà un cousin à moi, nouvellement arrivé d'Allemagne, que je désire présenter à Son Altesse; soyez assez bons pour le voir d'un œil favorable.

GUICCIARDINI. — Répondez-lui, seigneur Valori, je ne sais
35 que lui dire.

VALORI. — La salle se remplit à tout instant de ces complimenteurs du matin. Ils attendent tranquillement qu'on les admette.

SIRE MAURICE, *à Giomo.* — On l'a enterré là?

40 GIOMO. — Ma foi, oui, dans la sacristie. Que voulez-vous, si le peuple apprenait cette mort-là, elle pourrait en causer bien d'autres. Lorsqu'il en sera temps, on lui fera des obsèques publiques. En attendant, nous l'avons emporté dans un tapis.

VALORI. — Qu'allons-nous devenir?

45 PLUSIEURS SEIGNEURS *s'approchent.* — Nous sera-t-il bientôt permis de présenter nos devoirs à Son Altesse? qu'en pensez-vous, messieurs?

Entre LE CARDINAL CIBO. — Oui, messieurs, vous pourrez entrer dans une heure ou deux; le duc a passé la nuit à une
50 mascarade, et il repose dans ce moment. *(Des valets suspendent des dominos aux croisées.)*

LES COURTISANS. — Retirons-nous; le duc est encore couché. Il a passé la nuit au bal. *(Les courtisans se retirent. Entrent les Huit.)*

55 NICCOLINI. — Eh bien! cardinal, qu'y a-t-il de décidé?

LE CARDINAL. — Primo avulso non deficit alter

---

1. D'après Varchi, on n'avait pas organisé de distribution de nourriture, mais des jeux de bague. Le reste de la scène est conforme à son récit.

Aureus, et simili frondescit virga metallo[1].

(Il sort.)

NICCOLINI. — Voilà qui est admirable; mais qu'y a-t-il de fait? Le duc est mort; il faut en élire un autre, et cela le plus vite 60 possible. Si nous n'avons pas un duc ce soir ou demain, c'en est fait de nous. Le peuple est en ce moment comme l'eau qui va bouillir.

VETTORI[2]. — Je propose Octavien[3] de Médicis.

CAPPONI. — Pourquoi? il n'est pas le premier par les droits 65 du sang.

ACCIAIUOLI. — Si nous prenions le cardinal?

SIRE MAURICE. — Plaisantez-vous?

RUCCELLAI. — Pourquoi, en effet, ne prendriez-vous pas le cardinal, vous qui le laissez, au mépris de toutes les lois, se 70 déclarer seul juge en cette affaire?

VETTORI. — C'est un homme capable de la bien diriger.

RUCCELLAI. — Qu'il se fasse donner l'ordre du pape.

VETTORI. — C'est ce qu'il a fait; le pape a envoyé l'autorisation par un courrier que le cardinal a fait partir dans la nuit.

75 RUCCELLAI. — Vous voulez dire par un oiseau, sans doute; car un courrier commence par prendre le temps d'aller, avant d'avoir celui de revenir. Nous traite-t-on comme des enfants?

CANIGIANI, *s'approchant*. — Messieurs, si vous m'en croyez, voilà ce que nous ferons : nous élirons duc de Florence son[4] fils 80 naturel Julien.

RUCCELLAI. — Bravo! un enfant de cinq ans! n'a-t-il pas cinq ans, Canigiani?

GUICCIARDINI, *bas*. — Ne voyez-vous pas le personnage? c'est le cardinal qui lui met dans la tête cette sotte proposition; 85 Cibo serait régent, et l'enfant mangerait des gâteaux.

---

1. *Enéide*, VI, vers 143-144. « Quand on en arrache un, il ne manque pas de repousser un autre rameau d'or, qui se couvre de feuilles du même métal. » Il s'agit d'un rameau consacré à Junon, qui permet de pénétrer dans les profondeurs de la terre. L'allusion est doublement transparente : il faut trouver un autre « rameau » de la famille des Médicis, et de la famille des Bourbons si l'on pense à Louis-Philippe; 2. *Vettori :* parmi ces Huit, qui appartiennent tous à d'illustres familles florentines, les plus célèbres sont Vettori (1499-1585), un remarquable humaniste, et Capponi, descendant d'une famille ennemie des Médicis. Ils sont tous cités par Varchi; 3. *Octavien :* un cousin éloigné; d'après Varchi, on lui aurait proposé la succession d'Alexandre, et c'est lui qui aurait refusé; 4. *Son.* Les manuscrits et toutes les éditions publiées du vivant de Musset portent *mon fils*. Il s'agit plus probablement d'un lapsus que d'une erreur historique.

RUCCELLAI. — Cela est honteux; je sors de cette salle, si on y tient de pareils discours.

Entre CORSI. — Messieurs, le cardinal vient d'écrire à Côme de Médicis.

90 LES HUIT. — Sans nous consulter?

CORSI. — Le cardinal a écrit pareillement à Pise, à Arezzo, et à Pistoie, aux commandants militaires. Jacques de Médicis sera demain ici avec le plus de monde possible; Alexandre Vitelli[1] est déjà dans la forteresse, avec la garnison entière.
95 Quant à Lorenzo, il est parti trois courriers pour le joindre.

RUCCELLAI. — Qu'il se fasse duc tout de suite, votre cardinal; cela sera plus tôt fait.

CORSI. — Il m'est ordonné de vous prier de mettre aux voix l'élection de Côme de Médicis, sous le titre provisoire de
100 gouverneur de la république florentine[2].

GIOMO, *à des valets qui traversent la salle.* — Répandez du sable autour de la porte, et n'épargnez pas le vin plus que le reste.

RUCCELLAI. — Pauvre peuple! quel badaud on fait de toi!

105 SIRE MAURICE. — Allons, messieurs, aux voix. Voici vos billets.

VETTORI. — Côme est en effet le premier en droit après Alexandre; c'est son plus proche parent.

ACCIAIUOLI. — Quel homme est-ce? je le connais fort peu.

CORSI. — C'est le meilleur prince du monde.

110 GIUCCIARDINI. — Hé, hé, pas tout à fait cela. Si vous disiez le plus diffus et le plus poli des princes, ce serait plus vrai.

SIRE MAURICE. — Vos voix, seigneurs.

RUCCELLAI. — Je m'oppose à ce vote, formellement, et au nom de tous les citoyens.

115 VETTORI. — Pourquoi?

RUCCELLAI. — Il ne faut plus à la république ni princes, ni ducs, ni seigneurs; voici mon vote. *(Il montre son billet blanc.)*

VETTORI. — Votre voix n'est qu'une voix. Nous nous passerons de vous.

120 RUCCELLAI. — Adieu donc; je m'en lave les mains.

---

1. *Vitelli :* un condottière au service des Médicis. En fait, Vitelli n'arriva que beaucoup plus tard; 2. Entre le 30 juillet et le 9 août 1830, Louis-Philippe avait été « lieutenant-général du royaume ».

GUICCIARDINI, *courant après lui.* — Eh! mon Dieu, Palla, vous êtes trop violent.

RUCCELLAI. — Laissez-moi; j'ai soixante-deux ans passés; ainsi vous ne pouvez pas me faire grand mal désormais. *(Il sort.)*

125 NICCOLINI. — Vos voix, messieurs. *(Il déplie les billets jetés dans un bonnet.)* Il y a unanimité. Le courrier est-il parti pour Trebbio[1]?

CORSI. — Oui, Excellence. Côme sera ici dans la matinée de demain, à moins qu'il ne refuse.

130 VETTORI. — Pourquoi refuserait-il?

NICCOLINI. — Ah! mon Dieu, s'il allait refuser, que deviendrions-nous? quinze lieues à faire d'ici à Trebbio, pour trouver Côme, et autant pour revenir, ce serait une journée de perdue. Nous aurions dû choisir quelqu'un qui fût plus près de nous.

135 VETTORI. — Que voulez-vous? notre vote est fait, et il est probable qu'il acceptera. Tout cela est étourdissant[2]. *(Ils sortent.)*

SCÈNE II.

A Venise[3].

PHILIPPE STROZZI, *dans son cabinet.* — J'en étais sûr. — Pierre est en correspondance avec le roi de France[4]; le voilà à la tête d'une espèce d'armée et prêt à mettre le bourg à feu et à sang. C'est donc là ce qu'aura fait ce pauvre nom de Strozzi, qu'on
5 a respecté si longtemps! il aura produit un rebelle et deux ou trois massacres. O ma Louise! tu dors en paix sous le gazon; l'oubli du monde entier est autour de toi, comme en toi au

---

1. *Trebbio :* la villa de Côme. A quinze milles, et non à quinze lieues de Florence; 2. Toute cette scène suit de très près le récit de Varchi; la plupart des personnages ont joué exactement le rôle que Musset leur attribue; 3. La scène se passe le 9 janvier; 4. Voir Notice sur Pierre Strozzi, page 18, note 8.

QUESTIONS

● SCÈNE PREMIÈRE. — Étudiez la progression de l'action en fonction de l'entrée et de la sortie des personnages.

— Étudiez les réactions de chaque personnage en fonction de sa position politique et de son rang social.

— Relevez toutes les allusions à la révolution de 1830 et à l'attitude des différentes classes sociales.

— Les détails de mise en scène et de figuration, et leur importance. — Vous imaginez la façon dont les personnages sont groupés sur la scène.

— Cette scène comporte-t-elle quelques traits comiques?

fond de la triste vallée où je t'ai laissée. *(On frappe à la porte.)* Entrez! *(Entre Lorenzo.)*

10 LORENZO. — Philippe! je t'apporte le plus beau joyau de ta couronne.

PHILIPPE. — Qu'est-ce que tu jettes là? une clef ?

LORENZO. — Cette clef ouvre ma chambre, et dans ma chambre est Alexandre de Médicis, mort de la main que voilà.

15 PHILIPPE. — Vraiment! vraiment! cela est incroyable.

LORENZO. — Crois-le si tu veux. Tu le sauras par d'autres que par moi.

PHILIPPE, *prenant la clef.* — Alexandre est mort! cela est-il possible?

20 LORENZO. — Que dirais-tu si les républicains t'offraient d'être duc à sa place?

PHILIPPE. — Je refuserais, mon ami.

LORENZO. — Vraiment! vraiment! cela est incroyable.

PHILIPPE. — Pourquoi? cela est tout simple pour moi.

25 LORENZO. — Comme pour moi de tuer Alexandre. Pourquoi ne veux-tu pas me croire?

PHILIPPE. — O notre nouveau Brutus[1]! je te crois et je t'embrasse. La liberté est donc sauvée! Oui, je te crois, tu es tel que tu me l'as dit. Donne-moi ta main. Le duc est mort! Ah!
30 il n'y a pas de haine dans ma joie; il n'y a que l'amour le plus pur, le plus sacré pour la patrie; j'en prends Dieu à témoin.

LORENZO. — Allons! calme-toi; il n'y a rien de sauvé que moi, qui ai les reins brisés par les chevaux de l'évêque de Marzi.

PHILIPPE. — N'as-tu pas averti nos amis? n'ont-ils pas l'épée
35 à la main à l'heure qu'il est?

LORENZO. — Je les ai avertis; j'ai frappé à toutes les portes républicaines avec la constance d'un frère quêteur; je leur ai dit de frotter leurs épées, qu'Alexandre serait mort quand ils s'éveilleraient. Je pense qu'à l'heure qu'il est ils se sont éveillés
40 plus d'une fois, et rendormis à l'avenant. Mais, en vérité, je ne pense pas autre chose.

---

1. Philippe Strozzi écrit en ces termes dithyrambiques à Catherine de Médicis au sujet de Lorenzo, qui, en réalité, vécut jusqu'en 1548 : « Si Votre Seigneurie veut me faire plaisir, qu'elle me recommande cent mille fois au glorieux Lorenzo de Médicis, dont l'acte magnanime dépasse Brutus et tous ses pareils qui furent après. »

PHILIPPE. — As-tu averti les Pazzi? l'as-tu dit à Corsini?

LORENZO. — A tout le monde; je l'aurais dit, je crois, à la lune, tant j'étais sûr de n'être pas écouté.

45 PHILIPPE. — Comment l'entends-tu?

LORENZO. — J'entends qu'ils ont haussé les épaules, et qu'ils sont retournés à leurs dîners, à leurs cornets[1] et à leurs femmes.

PHILIPPE. — Tu ne leur as donc pas expliqué l'affaire?

50 LORENZO. — Que diantre voulez-vous que j'explique? croyez-vous que j'eusse une heure à perdre avec chacun d'eux? Je leur ai dit : Préparez-vous; et j'ai fait mon coup.

PHILIPPE. — Et tu crois que les Pazzi ne font rien? qu'en sais-tu? Tu n'as pas de nouvelles depuis ton départ, et il y a 55 plusieurs jours que tu es en route.

LORENZO. — Je crois que les Pazzi font quelque chose; je crois qu'ils font des armes dans leur antichambre, en buvant du vin du Midi de temps à autre, quand ils ont le gosier sec.

PHILIPPE. — Tu soutiens ta gageure; ne m'as-tu pas voulu 60 parier ce que tu me dis là? Sois tranquille; j'ai meilleure espérance.

LORENZO. — Je suis tranquille, plus que je ne puis dire.

PHILIPPE. — Pourquoi n'es-tu pas sorti la tête du duc à la main? Le peuple t'aurait suivi comme son sauveur et son chef.

65 LORENZO. — J'ai laissé le cerf aux chiens; qu'ils fassent eux-mêmes la curée.

PHILIPPE. — Tu aurais déifié les hommes, si tu ne les méprisais.

LORENZO. — Je ne les méprise point; je les connais; je suis très persuadé qu'il y en a très peu de très méchants, beaucoup de 70 lâches, et un grand nombre d'indifférents. Il y en a aussi de féroces, comme les habitants de Pistoie[2], qui ont trouvé dans cette affaire une petite occasion d'égorger tous leurs chanceliers en plein midi, au milieu des rues. J'ai appris cela il n'y a pas une heure.

75 PHILIPPE. — Je suis plein de joie et d'espoir; le cœur me bat malgré moi.

---

1. *Cornets* à dés; 2. *Pistoie*. Cette ville était sous la domination florentine, mais elle avait été longtemps libre et restait difficile à gouverner.

LORENZO. — Tant mieux pour vous.

PHILIPPE. — Puisque tu n'en sais rien, pourquoi en parles-tu ainsi? Assurément tous les hommes ne sont pas capables de 80 grandes choses, mais tous sont sensibles aux grandes choses : nies-tu l'histoire du monde entier? Il faut sans doute une étincelle pour allumer une forêt; mais l'étincelle peut sortir d'un caillou, et la forêt prend feu. C'est ainsi que l'éclair d'une seule épée peut illuminer tout un siècle.

85 LORENZO. — Je ne nie pas l'histoire, mais je n'y étais pas.

PHILIPPE. — Laisse-moi t'appeler Brutus, si je suis un rêveur, laisse-moi ce rêve-là. O mes amis, mes compatriotes! vous pouvez faire un beau lit de mort au vieux Strozzi, si vous voulez?

LORENZO. — Pourquoi ouvrez-vous la fenêtre?

90 PHILIPPE. — Ne vois-tu pas un courrier qui arrive? Mon Brutus! mon grand Lorenzo! la liberté est dans le ciel; je la sens, je la respire.

LORENZO. — Philippe! Philippe! point de cela; fermez votre fenêtre; toutes ces paroles me font mal.

95 PHILIPPE. — Il me semble qu'il y a un attroupement dans la rue; un crieur lit une proclamation. Holà, Jean! Allez acheter le papier de ce crieur.

LORENZO. — O Dieu, ô Dieu!

PHILIPPE. — Tu deviens pâle comme un mort. Qu'as-tu donc?

100 LORENZO. — N'as-tu rien entendu? *(Entre un domestique apportant la proclamation.)*

PHILIPPE. — Non; lis donc un peu ce papier, qu'on criait dans la rue.

LORENZO, *lisant*. — « A tout homme, noble ou roturier, 105 qui tuera Lorenzo de Médicis, traître à la patrie et assassin de son maître, en quelque lieu et de quelque manière que ce soit, sur toute la surface de l'Italie, il est promis par le conseil des Huit à Florence : 1° quatre mille florins d'or sans aucune retenue; 2° une rente de cent florins d'or par an, pour lui 110 durant sa vie et ses héritiers en ligne directe après sa mort; 3° la permission d'exercer toutes les magistratures, de posséder tous les bénéfices et privilèges de l'État, malgré sa naissance s'il est roturier; 4° grâce perpétuelle pour toutes ses

fautes, passées et futures, ordinaires et extraordinaires[1]. »
115 Signé de la main des Huit.

Eh bien, Philippe! vous ne vouliez pas croire tout à l'heure que j'avais tué Alexandre? Vous voyez bien que je l'ai tué.

PHILIPPE. — Silence! quelqu'un monte l'escalier. Cache-toi dans cette chambre. *(Ils sortent.)*

SCÈNE III.

Florence. — Une rue.

Entrent DEUX GENTILSHOMMES.

PREMIER GENTILHOMME. — N'est-ce pas le marquis Cibo qui passe là? il me semble qu'il donne le bras à sa femme. *(Le marquis et la marquise passent.)*

DEUXIÈME GENTILHOMME. — Il paraît que ce bon marquis
5 n'est pas d'une nature vindicative. Qui ne sait pas à Florence que sa femme a été la maîtresse du feu duc?

PREMIER GENTILHOMME. — Ils paraissent bien raccommodés. J'ai cru les voir se serrer la main.

DEUXIÈME GENTILHOMME. — La perle des maris, en vérité!
10 Avaler ainsi une couleuvre aussi longue que l'Arno, cela s'appelle avoir l'estomac bon.

PREMIER GENTILHOMME. — Je sais que cela fait parler, — cependant je ne te conseillerais pas d'aller lui en parler à lui-même; il est de la première force à toutes les armes, et les
15 faiseurs de calembours[2] craignent l'odeur de son jardin.

DEUXIÈME GENTILHOMME. — Si c'est un original, il n'y a rien à dire. *(Ils sortent.)*

---

1. C'est le résumé incomplet, mais exact en gros, d'un document beaucoup plus long qui fut promulgué le 24 avril 1537. Il commençait par ces mots : « Attendu l'horrible, impie et détestable crime et trahison d'homicide commis par Laurent de Médicis sur la personne et par la mort du jadis illustrissime seigneur duc Alexandre de Médicis, en date du 6 janvier dernier passé; car vraiment exécrable et péché scélératissime, tel que pareil ne fut oncques ouï de mémoire humaine... »; 2. C'est-à-dire d'épigrammes.

QUESTIONS

● SCÈNE II. — Lorenzo a-t-il changé depuis qu'il a tué Alexandre? Comparez cette scène à la scène III de l'acte III.

— Jusqu'à quel point faut-il voir dans la scène une analyse des motifs qui avaient fait échouer la révolution de 1830?

— Expliquez en détail la réplique : *Puisque tu n'en sais rien* (page 135).

● SCÈNE III. — En quoi cette courte scène est-elle une habileté? — Pourquoi avoir choisi des gentilshommes?

SCÈNE IV.

Une auberge.

Entrent PIERRE STROZZI *et* UN MESSAGER.

PIERRE. — Ce sont ses propres paroles?

LE MESSAGER. — Oui, Excellence; les paroles du roi lui-même.

PIERRE. — C'est bon. *(Le messager sort.)* Le roi de France,
5 protégeant la liberté de l'Italie, c'est justement comme un voleur protégeant contre un autre voleur une jolie femme en voyage. Il la défend jusqu'à ce qu'il la viole. Quoi qu'il en soit, une route s'ouvre devant moi, sur laquelle il y a plus de bons grains que de poussière. Maudit soit ce Lorenzaccio,
10 qui s'avise de devenir quelque chose! Ma vengeance m'a glissé entre les doigts comme un oiseau effarouché : je ne puis plus rien imaginer ici qui soit digne de moi. Allons faire une attaque vigoureuse au bourg, et puis laissons là ces femmelettes qui ne pensent qu'au nom de mon père, et qui me toisent toute
15 la journée pour chercher par où je lui ressemble. Je suis né pour autre chose que pour faire un chef de bandits. *(Il sort.)*

SCÈNE V.

Une place. — Florence.

L'ORFÈVRE *et* LE MARCHAND DE SOIE, *assis.*

LE MARCHAND. — Observez bien ce que je dis; faites attention à mes paroles. Le feu duc Alexandre à été tué l'an 1536, qui est bien l'année où nous sommes. Suivez-moi toujours. Il a donc été tué l'an 1536; voilà qui est fait. Il avait vingt-six
5 ans; remarquez-vous cela? mais ce n'est encore rien. Il avait donc vingt-six ans; bon. Il est mort le 6 du mois; ah! ah! saviez-vous ceci? N'est-ce pas justement le 6 qu'il est mort[1]? Écoutez maintenant. Il est mort à six heures de la nuit. Qu'en

1. Ce propos est mentionné par Varchi. Peut-être l'avait-il pris lui-même dans Tacite, où, à propos de l'incendie de Rome par Néron, le peuple remarque qu'il s'est écoulé quatre cent dix-huit ans, quatre cent dix-huit mois et quatre cent dix-huit jours depuis le dernier incendie (*Annales*, XV, 41). La source antique est probable, parce que les Anciens voyaient dans des coïncidences semblables l'intervention des dieux.

QUESTIONS

● SCÈNE IV. — Comment la vérité historique (Pierre Strozzi passant au service du roi de France) trouve-t-elle sa justification psychologique?

pensez-vous, père Mondella? Voilà de l'extraordinaire, ou
10 je ne m'y connais pas. Il est donc mort à six heures de la nuit. Paix! ne dites rien encore. Il avait six blessures. Eh bien! cela vous frappe-t-il à présent? Il avait six blessures; à six heures de la nuit, le 6 du mois, à l'âge de vingt-six ans, l'an 1536[1]. Maintenant, un seul mot : il avait régné six ans.

15 L'ORFÈVRE. — Quel galimatias me faites-vous là, voisin?

LE MARCHAND. — Comment! comment! vous êtes donc absolument incapable de calculer? vous ne voyez pas ce qui résulte de ces combinaisons surnaturelles que j'ai l'honneur de vous expliquer?

20 L'ORFÈVRE. — Non, en vérité, je ne vois pas ce qui en résulte.

LE MARCHAND. — Vous ne le voyez pas? Est-ce possible, voisin, que vous ne le voyiez pas?

L'ORFÈVRE. — Je ne vois pas qu'il en résulte la moindre des choses. — A quoi cela peut-il nous être utile?

25 LE MARCHAND. — Il en résulte que six Six ont concouru à la mort d'Alexandre. Chut! ne répétez pas ceci comme venant de moi. Vous savez que je passe pour un homme sage et circonspect; ne me faites point de tort, au nom de tous les saints! La chose est plus grave qu'on ne pense; je vous le dis
30 comme à un ami.

L'ORFÈVRE. — Allez vous promener; je suis un homme vieux, mais pas encore une vieille femme. Le Côme arrive aujourd'hui, voilà ce qui résulte le plus clairement de notre affaire; il nous est poussé un beau dévideur de paroles dans
35 votre nuit de six Six. Ah! mort de ma vie! cela ne fait-il pas honte! Mes ouvriers, voisin, les derniers de mes ouvriers, frappaient avec leurs instruments sur les tables, en voyant passer les Huit, et ils leur criaient : « Si vous ne savez ni ne pouvez agir, appelez-nous, qui agirons. »

40 LE MARCHAND. — Il n'y a pas que les vôtres qui aient crié; c'est un vacarme de paroles dans la ville comme je n'en ai jamais entendu, même par ouï-dire.

L'ORFÈVRE. — Les uns courent après les soldats, les autres après le vin qu'on distribue; ils s'en remplissent la bouche

cf. Lorenzo

1. Jusqu'en 1564, l'année se terminait non au 1er janvier mais à Pâques (entre le 22 mars et le 15 avril). Le 6 janvier, jour du meurtre d'Alexandre, se trouvait donc encore en 1536, selon le style ancien; pour nous, c'est l'année 1537.

45 et la cervelle, afin de perdre le peu de sens commun et de bonnes paroles qui pourraient leur rester.

LE MARCHAND. — Il y en a qui voulaient rétablir le conseil et élire librement un gonfalonier[1], comme jadis.

L'ORFÈVRE. — Il y en a qui voulaient, comme vous dites; 50 mais il n'y en a pas qui aient agi. Tout vieux que je suis, j'ai été au Marché-Neuf, moi, et j'ai reçu dans la jambe un bon coup de hallebarde. Pas une âme n'est venue à mon secours. Les étudiants seuls se sont montrés.

LE MARCHAND. — Je le crois bien. Savez-vous ce qu'on dit, 55 voisin? On dit que le provéditeur, Roberto Corsini, est allé hier soir à l'assemblée des républicains, au palais Salviati.

L'ORFÈVRE. — Rien n'est plus vrai, il a offert de livrer la forteresse aux amis de la liberté, avec les provisions, les clefs, et tout le reste.

60 LE MARCHAND. — Et il l'a fait, voisin? est-ce qu'il l'a fait? c'est une trahison de haute justice.

L'ORFÈVRE. — Ah bien oui! on a braillé, bu du vin sucré et cassé des carreaux; mais la proposition de ce brave homme n'a seulement pas été écoutée. Comme on n'osait pas faire ce 65 qu'il voulait, on a dit qu'on doutait de lui, et qu'on le soupçonnait de fausseté dans ses offres[2]. Mille millions de diables! que j'enrage! Tenez, voilà les courriers de Trebbio[3] qui arrivent; Côme n'est pas loin d'ici. Bonsoir voisin, le sang me démange! il faut que j'aille au palais. *(Il sort.)*

70 LE MARCHAND. — Attendez donc, voisin; je vais avec vous. *(Il sort. — Entre un précepteur avec le petit Salviati, et un autre avec le petit Strozzi.)*

LE PREMIER PRÉCEPTEUR. — *Sapientissime doctor*[4], comment se porte Votre Seigneurie? le trésor de votre précieuse santé 75 est-il dans une assiette régulière, et votre équilibre se maintient-il convenable par ces tempêtes où nous voilà?

LE DEUXIÈME PRÉCEPTEUR. — C'est chose grave, seigneur docteur, qu'une rencontre aussi érudite et aussi fleurie que la

---

1. *Gonfalonier :* magistrat municipal élu selon la vieille constitution florentine, quand la cité était une république aristocratique. Le *gonfalonier de justice* eut, selon les époques, des attributions très diverses. Jusqu'en 1532, il fut pratiquement le chef de la République. Il faut voir dans toute la scène des allusions à la révolution de 1830, qui fut faite par des républicains et aboutit à l'avènement de Louis-Philippe; 2. La rapide proclamation de Côme avait empêché ces pourparlers d'aboutir; 3. *Trebbio :* voir page 132, note 1; 4. Très sage docteur.

vôtre, sur cette terre soucieuse et lézardée. Souffrez que je
80 presse cette main gigantesque d'où sont sortis les chefs-d'œuvre de notre langue. Avouez-le, vous avez fait depuis peu un sonnet.

LE PETIT SALVIATI. — Canaille de Strozzi que tu es!

LE PETIT STROZZI. — Ton père a été rossé, Salviati.

LE PREMIER PRÉCEPTEUR. — Ce pauvre ébat de notre[1] muse
85 serait-il allé jusqu'à vous, qui êtes un homme d'art si consciencieux, si large et si austère? Des yeux comme les vôtres, qui remuent des horizons si dentelés, si phosphorescents, auraient-ils consenti à s'occuper des fumées peut-être bizarres et osées d'une imagination chatoyante?

90 LE DEUXIÈME PRÉCEPTEUR. — Oh! si vous aimez l'art, et si vous nous aimez, dites-nous, de grâce, votre sonnet. La ville ne s'occupe que de votre sonnet.

LE PREMIER PRÉCEPTEUR. — Vous serez peut-être étonné que moi, qui ai commencé par chanter la monarchie en quelque
95 sorte, je semble cette fois chanter la république.

LE PETIT SALVIATI. — Ne me donne pas de coups de pied, Strozzi.

LE PETIT STROZZI. — Tiens, chien de Salviati, en voilà encore deux.

100 LE PREMIER PRÉCEPTEUR. — Voici les vers :

Chantons la liberté, qui refleurit plus âpre...

LE PETIT SALVIATI. — Faites donc finir ce gamin-là, monsieur; c'est un coupe-jarret. Tous les Strozzi sont des coupe-jarrets.

105 LE DEUXIÈME PRÉCEPTEUR. — Allons! petit, tiens-toi tranquille.

LE PETIT STROZZI. — Tu y reviens en sournois! Tiens! canaille, porte cela à ton père, et dis-lui qu'il le mette avec l'estafilade qu'il a reçue de Pierre Strozzi, empoisonneur que tu es! Vous
110 êtes tous des empoisonneurs.

LE PREMIER PRÉCEPTEUR. — Veux-tu te taire, polisson! *(Il le frappe.)*

LE PETIT STROZZI. — Aïe! aïe! Il m'a frappé.

---

1. *Notre* : pluriel emphatique.

LE PREMIER PRÉCEPTEUR

115 Chantons la liberté, qui refleurit plus âpre
Sous des soleils plus mûrs et des cieux plus vermeils.

LE PETIT STROZZI. — Aïe! aïe! il m'a écorché l'oreille.

LE DEUXIÈME PRÉCEPTEUR. — Vous avez frappé trop fort, mon ami. *(Le petit Strozzi rosse le petit Salviati.)*

120 LE PREMIER PRÉCEPTEUR. — Eh bien! qu'est-ce à dire?

LE DEUXIÈME PRÉCEPTEUR. — Continuez, je vous en supplie.

LE PREMIER PRÉCEPTEUR. — Avec plaisir; mais ces enfants ne cessent pas de se battre. *(Les enfants sortent en se battant; — ils les suivent[1].)*

SCÈNE VI.

Venise. — Le cabinet de Strozzi.

PHILIPPE, LORENZO, *tenant une lettre.*

LORENZO. — Voilà une lettre qui m'apprend que ma mère est morte[2]. Venez donc faire un tour de promenade, Philippe.

PHILIPPE. — Je vous en supplie, mon ami, ne tentez pas la destinée. Vous allez et venez continuellement, comme si
5 cette proclamation de mort n'existait pas.

LORENZO. — Au moment où j'allais tuer Clément VII, ma tête a été mise à prix à Rome; il est naturel qu'elle le soit dans toute l'Italie, aujourd'hui que j'ai tué Alexandre; si je sortais d'Italie, je serais bientôt sonné à son de trompe dans toute
10 l'Europe, et à ma mort le bon Dieu ne manquera pas de faire placarder ma condamnation éternelle dans tous les carrefours de l'immensité.

---

1. A cet endroit, Musset, dans une des premières révisions de la pièce, avait inséré une courte scène où l'on voyait un soldat du service d'ordre frapper à mort un étudiant qui manifestait pour la liberté et contre la proclamation de Côme; 2. Marie Soderini a, en réalité, survécu à Lorenzo.

QUESTIONS

● SCÈNE V. — Pourquoi revoyons-nous ici le peuple que nous avions perdu de vue depuis trois actes?

— Expliquez le choix des personnages et leur attitude.

— Dans quelle mesure les acteurs devraient-ils jouer ces rôles comme des caricatures?

— Musset a-t-il établi des correspondances entre les trois discussions : les deux commerçants, les deux précepteurs et les deux écoliers?

PHILIPPE. — Votre gaieté est triste comme la nuit; vous n'êtes pas changé, Lorenzo.

15 LORENZO. — Non, en vérité; je porte les mêmes habits, je marche toujours sur mes jambes, et je bâille avec ma bouche; il n'y a de changé en moi qu'une misère : c'est que je suis plus creux et plus vide qu'une statue de fer-blanc.

PHILIPPE. — Partons ensemble; redevenez un homme; vous 20 avez beaucoup fait, mais vous êtes jeune.

LORENZO. — Je suis plus vieux que le bisaïeul de Saturne[1]; je vous en prie, venez faire un tour de promenade.

PHILIPPE. — Votre esprit se torture dans l'inaction, c'est là votre malheur. Vous avez des travers, mon ami.

25 LORENZO. — J'en conviens; que les républicains n'aient rien fait à Florence, c'est là un grand travers de ma part. Qu'une centaine de jeunes étudiants, braves et déterminés, se soient fait massacrer en vain; que Côme, un planteur de choux[2], ait été élu à l'unanimité, oh! je l'avoue, je l'avoue, ce sont 30 là des travers impardonnables, et qui me font le plus grand tort.

PHILIPPE. — Ne raisonnons pas sur un événement qui n'est pas achevé. L'important est de sortir d'Italie; vous n'avez pas encore fini sur la terre.

LORENZO. — J'étais une machine à meurtre, mais à un 35 meurtre seulement.

PHILIPPE. — N'avez-vous pas été heureux autrement que par ce meurtre? Quand vous ne devriez faire désormais qu'un honnête homme, pourquoi voudriez-vous mourir?

LORENZO. — Je ne puis que vous répéter mes propres paroles : 40 Philippe, j'ai été honnête. Peut-être le redeviendrais-je sans l'ennui qui me prend. J'aime encore le vin et les femmes; c'est assez, il est vrai, pour faire de moi un débauché, mais ce n'est pas assez pour me donner envie de l'être. Sortons, je vous en prie.

45 PHILIPPE. — Tu te feras tuer dans toutes ces promenades?

LORENZO. — Cela m'amuse de les voir. La récompense est si grosse qu'elle les rend presque courageux. Hier, un grand gaillard à jambes nues m'a suivi un gros quart d'heure au bord de l'eau, sans pouvoir se déterminer à m'assommer. Le

---

1. *Saturne :* Dieu du Temps, père de Jupiter, avait été le maître du monde dans les temps les plus reculés; 2. Côme fut un législateur minutieux qui redoutait l'aventure.

50 pauvre homme portait une espèce de couteau long comme une broche; il le regardait d'un air si penaud qu'il me faisait pitié; c'était peut-être un père de famille qui mourait de faim.

PHILIPPE. — O Lorenzo, Lorenzo! ton cœur est très malade. C'était sans doute un honnête homme : pourquoi attribuer 55 à la lâcheté du peuple le respect pour les malheureux?

LORENZO. — Attribuez cela à ce que vous voudrez. Je vais faire un tour au Rialto[1]. *(Il sort.)*

PHILIPPE, *seul.* — Il faut que je le fasse suivre par quelqu'un de mes gens. Holà! Jean! Pippo! holà! *(Entre un domestique.)* 60 Prenez une épée, vous et un autre de vos camarades, et tenez-vous à une distance convenable du seigneur Lorenzo, de manière à pouvoir le secourir si on l'attaque.

JEAN. — Oui, monseigneur. *(Entre Pippo.)*

PIPPO. — Monseigneur, Lorenzo est mort. Un homme était 65 caché derrière la porte, qui l'a frappé par-derrière comme il sortait.

PHILIPPE. — Courons vite; il n'est peut-être que blessé.

PIPPO. — Ne voyez-vous pas tout ce monde? Le peuple s'est jeté sur lui. Dieu de miséricorde! on le pousse dans la 70 lagune[2].

PHILIPPE. — Quelle horreur! quelle horreur! Eh quoi! pas même un tombeau! *(Il sort.)*

SCÈNE VII.

Florence. — La grande place; des tribunes publiques sont remplies de monde.

(Des gens du peuple accourent de tous côtés.) Vive Médicis! Il est duc, duc! il est duc.

---

1. *Rialto :* anachronisme. Le pont du Rialto date de 1592; 2. Contrairement à ce qui précède, cette scène est pleine d'inexactitudes : Lorenzo fut tué le dimanche 26 février 1548, à la sortie de la messe. Il y avait onze ans qu'il avait tué Alexandre. Sans doute Musset n'assigne pas de date précise à cet assassinat, mais la succession des scènes montre qu'il voulait le faire passer pour antérieur à la proclamation de Côme.

QUESTIONS

● SCÈNE VI. — L'évolution de Lorenzo (voir acte III, scène III). La part de la confession de l'auteur.

— Lorenzo et le goût romantique du risque.

— Pourquoi Musset a-t-il placé cette scène avant la scène VII, qui s'est pourtant déroulée onze ans avant?

— Cette scène constitue-t-elle le dénouement réel de la pièce?

LES SOLDATS. — Gare, canaille!

LE CARDINAL CIBO, *sur une estrade, à Côme de Médicis.* —
5 Seigneur, vous êtes duc de Florence. Avant de recevoir de mes mains la couronne que le pape et César m'ont chargé de vous confier, il m'est ordonné de vous faire jurer quatre choses.

CÔME. — Lesquelles, cardinal?

LE CARDINAL. — Faire la justice sans restriction; ne jamais
10 rien tenter contre l'autorité de Charles Quint; venger la mort d'Alexandre, et bien traiter le seigneur Jules et la signora Julia[1], ses enfants naturels.

CÔME. — Comment faut-il que je prononce ce serment?

LE CARDINAL. — Sur l'Évangile. *(Il lui présente l'Évangile.)*

15 CÔME. — Je le jure à Dieu et à vous, cardinal. Maintenant donnez-moi la main. *(Ils s'avancent vers le peuple. On entend Côme parler dans l'éloignement.)*

« Très nobles et très puissants seigneurs,

« Le remerciement que je veux faire à Vos très illustres et
20 très gracieuses Seigneuries, pour le bienfait si haut que je leur dois, n'est pas autre que l'engagement qui m'est bien doux, à moi si jeune comme je suis, d'avoir toujours devant les yeux, en même temps que la crainte de Dieu, l'honnêteté et la justice, et le dessein de n'offenser personne, ni dans les biens ni
25 dans l'honneur, et, quant au gouvernement des affaires, de ne jamais m'écarter du conseil et du jugement des très prudentes et très judicieuses Seigneuries auxquelles je m'offre en tout et recommande bien dévotement[2]. »

---

1. Alexandre avait trois enfants en bas âge, un fils et deux filles; 2. C'est la traduction littérale de la harangue transmise par Varchi.

QUESTIONS

● SCÈNE VII. — Comment, dans cette courte scène, presque mot à mot historique, Musset a-t-il laissé entrevoir le caractère de Côme?
— Côme de Médicis et Louis-Philippe.

■ SUR L'ENSEMBLE DE L'ACTE V. — Étudiez d'après les dernières scènes la symétrie entre l'exposition et le dénouement. Qu'en conclure sur l'architecture générale du drame?
— Comment Musset a-t-il modifié les données de l'histoire pour faire du dénouement la justification psychologique de son héros?
— Les allusions politiques à l'actualité.
— A la représentation de 1896, on avait supprimé totalement l'acte V : cette mutilation vous paraît-elle se justifier?

Phot. Larousse.

VENISE : LE GRAND CANAL
D'après une gravure du XIXe siècle.

Phot. Larousse.

ALEXANDRE DE MÉDICIS

d'après un document florentin de l'époque.

Phot. Pic.

LA PROCLAMATION DE CÔME DE MÉDICIS
(Acte V, scène VII.)

Théâtre Sarah-Bernhardt, 1965.

Le Duc
(Georges Aminel)
et
Lorenzo
(Pierre Vaneck).

Théâtre
Sarah-Bernhardt
(1965).

Phot. Pic.

DOCUMENTATION THÉMATIQUE

réunie par la Rédaction des Nouveaux Classiques Larousse.

1. MUSSET ET GEORGE SAND

On comparera le début de la scène historique de George Sand, que nous donnons ici (*Une conspiration en 1537*), avec le texte de Musset. On se reportera à la Notice, page 10, à propos des sources et de la composition de *Lorenzaccio*.

1.1. DANS LE PALAIS DU DUC

UNE CONSPIRATION EN 1537

dramatis personae[1]

ALEXANDRE DE MÉDICIS, grand-duc de Florence.

VALORI, commissaire apostolique.

MALATESTA BAGLIONE, commandant des forces militaires.

LE CAVALIERE DE MARSILJ, LE CAPITAINE CESENA — officiers de la maison du grand-duc.

GIOMO LE HONGROIS, FERNANDO L'ANDALOU — écuyers du grand-duc.

LORENZO DE MÉDICIS, cousin du grand-duc.

MADONNA MARIA SODERINI, mère de Lorenzo.

MADONNA CATTERINA, sœur de Lorenzo.

BINDO ALTOVITI, oncle de Lorenzo.

MICHEL DEL FAVOLACCINO, dit *Scoronconcolo*, spadassin.

GIULIO CAPPONI, citoyen de Florence.

Écuyers, pages du grand-duc, etc.

SCÈNE PREMIÈRE

Le palais du grand-duc à Florence. 6 janvier 1537.
10 heures du matin.

MALATESTA, VALORI, MARSILJ, *plusieurs gentilshommes attachés au grand-duc, plusieurs riches bourgeois de la ville, quelques seigneurs étrangers.*

MARSILJ. — Je le dis en conscience à vos Seigneuries, l'émeute de ce matin avait un caractère sérieux.

VALORI. — Encore les jeunes gens ? Quelques élèves de l'école de peinture, artistes sans talent et sans barbe, qui croyent que l'exaltation tient lieu de génie, quelques jeunes légistes venus de Bologne, pour montrer dans nos rues leur moustache hérissée et leurs fraises tachées d'encre ? Un coup de vent ferait justice de ces conspirateurs à tête vide et à mine affamée.

MARSILJ, *baissant la voix.* — Le peuple est bien mécontent.

MALATESTA. — C'est sa nature. Qu'importe d'ailleurs, si nous avons une garnison impériale bien payée à nos portes, et dans nos murs des troupes dévouées au gouvernement? Il est assez prouvé qu'avec les Florentins, le sceptre de fer vaut mieux que le sceptre d'or.

MARSILJ. — C'est parfaitement juste, mais ce nouvel édit de proscription a indisposé bien des familles prêtes à adhérer au gouvernement.

VALORI. — On se passera de leur adhésion. Sa Sainteté chérit le duc Alexandre, comme une mère aime son fils[2], et le protégera envers et contre tous.

Un gentilhomme parle bas à son voisin, qui lui répond : Prenez garde que le regard perçant de Valori ne surprenne le sourire sur vos lèvres. Le pape est comme Dieu. Il est partout.

UN PAGE, *annonçant.* — Le duc. (*Le duc entre, suivi du capitaine Cesena, de Vitelli, de plusieurs écuyers, pages et gens d'armes.*)

LE DUC. — Eh bien! messieurs, qu'est-ce donc? nous avons encore eu du bruit ce matin?

MALATESTA. — Quelques amis des derniers proscrits se sont assemblés autour de *Santa Reparata* et ont tenté d'en appeler au peuple. Mais les Florentins fidèles à Votre Altesse les ont dispersés, injuriés, et sans l'intervention de la force militaire ils eussent fait de ces factieux une sévère justice.

LE DUC. — Il fallait donc les laisser faire.

VITELLI. — J'ai pensé que Votre Altesse aimerait mieux ordonner dans sa sagesse le châtiment des rebelles.

LE DUC. — Oui! se débarrasser soi-même de ses ennemis, cela fait plaisir. Qu'ils soient jetés dans les cachots.

VITELLI. — C'est une chose faite, Seigneurie.

LE DUC. — Eh bien! qu'ils soient pendus. Je gage que ce qui les fâchera le plus sera de ne plus pouvoir dire de mal de moi.

MARSILJ, *fait un pas en avant et d'une voix mal assurée.* — Altesse, j'ai un neveu...

MALATESTA, *le retenant par son manteau.* — Vous vous perdez.

MARSILJ. — Je me tais.

LE DUC, *à Valori.* (*Pendant la conversation du duc avec Valori les autres personnes se tiennent dans l'éloignement.*) Votre Excellence a-t-elle reçu ce matin des nouvelles de la cour de Rome?

VALORI. — Clément VII envoie mille bénédictions à Votre Altesse. Sa Sainteté fait des vœux pour sa longue prospérité, mais elle craint avec raison qu'elle ne se lance au milieu de nouveaux dangers par trop d'indulgence et d'aveuglement.

LE DUC. — L'on vous voit venir, monsieur le Commissaire apostolique. Encore quelques mauvaises branches à élaguer? Dites, dites, il est plus facile d'abattre que d'élever.

VALORI. — La perfidie veille quand la vengeance s'endort.

LE DUC. — Ce sont vos formules d'usage pour me demander un homme et une corde, l'un portant l'autre. Quel est le gros négociant florentin qui excite l'appétit du Saint-Siège ?

VALORI. — Ce n'est point un négociant, mais un patricien.

LE DUC. — Ah ! cela s'obtient plus difficilement et se paye plus cher.

VALORI. — C'est Laurent de Médicis que le pape réclame comme transfuge de sa justice.

LE DUC. — Bah ! Lorenzino ? Lorenzaccio, comme l'appellent les Florentins ? Mais c'est mon parent et mon favori, l'ignorez-vous ?

VALORI. — C'est le rejeton d'une branche ennemie de la vôtre et dont le poignard toujours prêt à ouvrir un chemin à la sédition a trop souvent rencontré le cœur d'un parent et d'un maître.

LE DUC. — Allons, vous raillez, quand vous parlez de poignard à Lorenzino. C'est un éventail qui convient à sa blanche main !

VALORI. — Que Votre Altesse me pardonne si j'insiste. La cour de Rome s'étonne que la seule grâce qu'ait accordée le duc de Florence à un traître soit tombée sur un ennemi de Clément VII.

LE DUC. — Mais que lui reproche donc si tard le Saint-Père ? Est-ce toujours la mutilation des statues de l'arc de Constantin ? Ces antiquailles sont-elles si précieuses aux Romains qu'ils aient été bien justes de condamner à mort l'écolier qui dans une nuit d'ivresse et de débauche eut la plaisante idée de les décapiter ? Par saint Cosme ! J'ai ri de la sainte colère du pape, en songeant que si tous ces grands hommes revenaient à la vie, il ne manquerait pas de les excommunier. Le cardinal Hippolyte[3] de Médicis avait bien fait comprendre à Sa Sainteté, qui est elle-même un Médicis, que l'ignominie du supplice de Lorenzo retomberait sur les siens, et l'évasion du condamné avait été favorisée par celui-là même qui le réclame aujourd'hui. D'où vient cette inconstance dans la faveur du pape ? Il fut un temps où les caustiques saillies de Lorenzino étaient applaudies au

Vatican comme les sottises d'un enfant gâté. Quand on vit qu'il abusait de cette faiblesse, on le condamna à être pendu, et maintenant qu'on lui a pardonné, on se rétracte? C'est de l'inconséquence.

VALORI. — On pensait que les mesures sévères prises contre lui le tiendraient en respect, en quelque lieu de l'Italie qu'il se fût réfugié. Mais à peine a-t-il pris racine dans votre cour, qu'il recommence ses licencieuses moqueries contre les choses saintes et les personnes consacrées à Dieu. Le pape a sujet d'être blessé de l'affection que Votre Altesse a conçue pour le contempteur de la religion.

LE DUC. — Le pape est d'autant plus zélé, en cette occurrence, à venger la religion outragée, que son amour-propre blessé y trouve un peu son compte; mais parlons sérieusement. Excellence, la haine du Saint-Père a lieu d'être assouvie, car il n'est pas de condition plus abjecte que celle de Lorenzo à la cour de Florence. Cette feinte amitié que je lui montre ne trompe peut-être ici que vous et lui. Oh! des affronts comme ceux que j'ai reçus de lui autrefois ne se pardonnent jamais, sachez-le bien. Mais la véritable vengeance, ce n'est pas le délire d'un instant, c'est la jouissance de toute une vie. Tuer son ennemi, c'est s'en défaire et non s'en venger. C'est une justice de maître, une mesure de sûreté; mais le faire souffrir longtemps, le fouler aux pieds, l'avilir, c'est une conquête de vainqueur, c'est un plaisir de prince.

VALORI. — Mais Lorenzo lève devant toute la cour un front toujours altier. Son langage est toujours acerbe et insolent. S'il est insensible au mépris qu'il inspire, où est son châtiment?

LE DUC. — Cette philosophie stoïque est affectée. Au fond de son cœur il souffre, je le sais bien. Peut-il être sourd aux clameurs de la haine publique, à l'indignation de sa famille qui avait mis en lui de si hautes espérances et qui le voit rouler si bas? Ah! si vous aviez vu comme, dans son enfance, l'adulation des siens avait enflé ce cœur superbe! comme ses progrès dans les lettres l'avaient rendu fanfaron! comme il croyait s'élever au-dessus de moi par son pédantisme et son outrecuidance! et comme, en toute occasion, son orgueilleuse mère cherchait à dénigrer mon goût pour les armes, disant que son Lorenzo était plus fait que moi pour régner! Aussi maintenant, quelle rage dévore ces vaniteux Soderini, à la vue de Lorenzo perdu de débauches, criblé de dettes, n'ayant d'autres secours que le denier que ma pitié lui jette, pliant un genou souple devant moi, son maître, et livrant à ma vengeance ses anciens partisans! C'est moi, qu'ils appelaient un soldat grossier, c'est moi qui l'ai plongé dans le bourbier et qui ai mis mon pied sur sa tête. Mon or l'a corrompu, comme tant d'autres.

Ma haine l'a fait descendre plus bas qu'aucun d'eux. (*Lorenzo paraît au fond de la galerie, il s'avance lentement et comme plongé dans un affaissement mélancolique.*) Voyez-le, abattu, terne, usé; voyez ses traits amaigris et plombés, son corps débile que ronge incessamment la fièvre de l'orgie, son regard éteint et stupide! Est-ce là cet esprit ardent et incisif que le pape ne dédaigne pas de redouter? Ses parents rougissent de lui, sa mère le pleure, et Florence dit en le voyant passer : « Voilà l'infâme Lorenzaccio, l'espion et le ruffian du maître. »

VALORI. — Prince, la vengeance est juste. Mais ne craignez-vous pas de tomber dans le piège avec votre proie? Ces débauches où vous précipitez le vil Lorenzo, le public vous accuse d'y prendre un intérêt plus personnel. Pardonnez, mais le Saint-Père...

LE DUC. — En vérité? C'est au nom du Saint-Père que Votre Excellence prêche la chasteté?

VALORI. — Moins haut, de grâce, Altesse, le pape ne doit jamais avoir de faiblesse aux yeux des petits.

LE DUC. — Ces gens-là ont trop connu Jules[4] de Médicis pour ne pas savoir qu'il a hérité d'un des vices radicaux de sa lignée, savoir l'impureté. Mais tranquillisez-vous, Excellence, si le pape n'en est pas plus respecté, il n'en est pas moins craint. Un souverain ne doit pas en demander davantage. — Bonjour à toi, Lorenzino.

LORENZO. — Je baise humblement les mains de Votre Altesse.

LE DUC. — Oh! Point tant d'humilité! Soyons cousins une fois pour toutes. Voici l'envoyé de la cour de Rome qui nous parlait de la superbe harangue débitée contre toi par Messer Francesco Molza à l'Académie romaine.

LORENZO. — J'ai entendu dire que cette harangue, digne des plus beaux jours de Cicéron, avait été déclamée et écoutée avec toute la gravité convenable à l'importance du sujet. Le romain et le toscan n'ont pas eu d'expressions assez flétrissantes pour le mutilateur des statues de l'antique Rome. C'est en latin que l'académicien a foudroyé le Vandale, et peut-être, en cette occasion, l'un doit-il à l'autre des remerciements pour l'avoir maudit et diffamé dans celle de toutes les langues que l'on comprend le moins à l'Académie.

VALORI. — C'est sans doute pour remédier à cet inconvénient que deux édits en très bon toscan ont été publiés, l'un par les Caparions[5], qui enjoignait au mutilateur de sortir au plus tôt de la ville des Césars, l'autre par le Sénat, qui promettait une récompense à quiconque en purgerait l'Italie.

LORENZO. — Mesures d'étalage et de luxe, car l'ennui qu'on respire à Rome et la roideur hypocrite de ses grands suffisent pour éloigner tout homme qui n'y est pas dupe.

LE DUC, *bas à Lorenzo.* — Bien, Lorenzino, venge-moi de cet importun censeur. (*Bas à Valori.*) Vous le voyez, insolent et bas !

VALORI, *à Lorenzo.* — Un homme tel que vous doit avoir le bras aussi fort que l'esprit. C'est pourquoi je m'étonne qu'avec un langage si acerbe à la bouche, vous n'ayez point une épée au côté.

LORENZO. — Ce n'est pas ma coutume.

VALORI. — Alors votre coutume devrait être de parler peu, car l'homme qui ne sait pas se défendre ne doit pas attaquer.

LE DUC, *bas à Valori.* — Ferme ! Poussez-le à bout. Vous verrez sa lâcheté.

LORENZO. — Je ne suis point un soldat, mais un pauvre amant de la science. Je laisse le vain appareil des armes à ceux qui n'ont pas assez d'esprit pour se défendre autrement.

LE DUC, *bas.* — Courage, Lorenzino, humilie ce pédant !

VALORI. — Vous avez trop d'esprit vous-même pour qu'on engage un combat à armes égales. Chacun fait usage des siennes. (*Il tire son épée.*)

LE DUC, *riant.* — Voyons, Lorenzino, si ton esprit fera une cuirasse de ton pourpoint.

LORENZO. — Qu'on me donne une épée. (*A part.*) Imprudent ! j'ai failli me trahir ! (*Il prend l'épée avec embarras et affecte d'hésiter.*)

LE DUC. — Bravo, c'est ta première affaire d'honneur, Lorenzino, je veux te servir de témoin.

LORENZO, *à part.* — C'est une épreuve. Jouons le rôle. (*Il se laisse tomber.*)

VALORI. — Misérable ! Ta couardise ne te sauvera pas.

LE DUC. — Halte-là, Excellence. Voulez-vous tuer un homme déjà mort de peur ?

TOUS LES COURTISANS. — C'est une honte et une infamie.

LE DUC. — Une infamie, non. C'est un malheur. Le pauvre jouvencet est né avec cette infirmité. La seule vue d'une arme nue l'a toujours fait tomber en faiblesse. Qu'on emporte ce pauvret chez sa mère et qu'on rassure la bonne femme en lui disant que l'acier n'a pas même effleuré le pourpoint de l'enfant. (*Se retournant vers les courtisans.*) Messieurs, c'est une maladie étrange, et s'il n'avait été battu mainte fois par les valets de maint mari jaloux, l'on pourrait croire... (*Le reste de sa phrase se perd dans l'éloignement. Avant de sortir, il élève la voix pour appeler Valori resté en arrière.*) Plairait-il à Votre Seigneurie apostolique de voir donner la question à ces factieux?

VALORI. — De grand cœur. (*Ils sortent. — Lorenzo reste évanoui au milieu des pages.*)

ANGIOLINO. — Le porterons-nous à sa mère?

BIONDINO. — Portons-le plutôt dans l'Arno, la fraîcheur du bain le ranimera.

STEFANO. — S'évanouir à la vue d'une épée, ignominie!

ANGIOLINO. — On dit que son esprit n'est pas bien sain.

STEFANO. — Ce sont les suites de la débauche.

ANGIOLINO. — Portons-le chez sa mère. Elle le soignera si elle veut.

BIONDINO. — Si je souille ma main à ce réprouvé, je veux qu'on m'appelle Lorenzaccio.

STEFANO. — Il a fait un mouvement. La couleur lui revient. Laissons-le se traîner hors d'ici comme il pourra.

BIONDINO. — Les murailles sont accoutumées à le soutenir. (*Ils sortent.*)

LORENZO, *seul.* — (*Il est sur ses genoux et regarde autour de lui avec précaution.*) Oui, Lorenzaccio, Castrataccio, c'est cela! (*Il se relève et secoue la poussière de son vêtement.*) De la poussière? C'est de la boue? Jetez-en sur moi à pleines mains, c'est bien!

On rapprochera cette première scène de la scène IV de l'acte premier de *Lorenzaccio*.

1.2. DANS LA MAISON DES MÉDICIS SODERINI

MADONNA MARIA SODERINI *travaille,* CATTERINA *tient un livre,* LORENZO *rêve, assis sur une fenêtre. Catterina pose son livre et va embrasser sa mère.*

MADONNA MARIA. — Tu as les yeux humides, mignonne.

CATTERINA. — Oh! c'est l'histoire de Virginia[6] que je viens de lire en latin dans Titus-Livius.

MADONNA MARIA. — Chère enfant! Ce n'est pas le sort de Virginia que je plains, mais bien celui de sa mère.

CATTERINA, *s'assied aux pieds de sa mère d'un air caressant.* — J'admire le courage de Virginius. Mais, dis-moi, mère, crois-tu que s'il n'y eût pas eu d'autre bras que celui de cette Romaine pour frapper sa fille, elle eût pu s'y résoudre[7] ?

MARIA, *quitte son ouvrage et prend les mains de sa fille dans les siennes.* — Ma Cattina, si nous nous trouvions dans de si déplorables circonstances, je sens bien que la force me manquerait pour verser ton sang. Mais j'aurais peut-être celle de mettre le poignard dans ta main et de te dire : « Choisis, ma fille, entre la mort et l'infamie. » Et j'en suis sûre, Catterina, ton choix déchirerait mes entrailles, mais il ne me ferait pas rougir de t'avoir donné la vie.

CATTERINA. — Ma bonne mère ! Tu dis vrai, car je suis la fille des Soderini, et notre famille est sans tache. Mais tu as aussi les yeux humides, Madonna ; Lorenzino, viens donc embrasser notre mère. Vois, comme elle est triste ! (*Elle le tire par le bras.*)

LORENZO. — Ah ! tu m'éveilles, méchante.

CATTERINA. — Toujours ces rêveries, ces extases ! Cherches-tu la pierre philosophale, comme le vieux moine qui m'enseigne le latin ? Pourquoi donc êtes-vous tous si tristes ? Jusqu'à toi, mon Lorenzino, qui me faisais tant jouer et si bien rire, quand j'étais une toute petite fille, et qui maintenant m'adresses à peine un mot ? Cruels que vous êtes ! Vous n'êtes pas heureux ? Vous ne voulez donc pas que je le sois ? Viens auprès de nous, frère, assieds-toi là, tout à côté de Madonna. Tu vois bien qu'elle s'ennuie parce que tu ne lui parles pas ? — Voulez-vous que je vous lise une histoire des temps anciens ? La mort de Lucretia ? ou recommencerai-je pour vous celle de Virginia ?

LORENZO. — Plutôt Virginia, car Lucretia, j'en doute toujours, et, comme dit le poète, elle a voulu avoir tout ensemble, le plaisir du péché et la gloire du trépas. On peut répondre davantage de Virginia, quoique son père ne l'ait pas consultée, peut-être, avant de la tuer.

MADONNA MARIA. — Vous méprisez les femmes, Lorenzo, nous le savons. Pourquoi affecter de les rabaisser devant votre mère et votre sœur ?

LORENZO. — Madonna, je vous respecte, et Catterina sait si je l'aime. Mais après vous deux, le reste du monde me fait horreur et pitié.

MADONNA MARIA. — C'est le fait d'une âme vaine et irréligieuse.

LORENZO. — Irréligieuse ? soit. Je suis content de ne pas croire en Dieu. Je n'ai pas la peine de le haïr et c'est un de moins.

CATTERINA. — Oh ! mon frère, ne blasphème pas !

LORENZO. — Que crains-tu ? Que ton Dieu te punisse de ma faute ? Tu vois bien que tu doutes de lui.

CATTERINA. — Renzo, tu fais de la peine à Madonna.

LORENZO, *à sa mère.* — Pourquoi pleurer sur moi, Signora? Je n'en vaux pas la peine assurément. Ne suis-je pas maudit, excommunié? Si vous faisiez votre devoir de bonne chrétienne, vous ne donneriez pas asile à l'ennemi de l'Eglise. Ne savez-vous point que le pape a vendu à l'encan la tête de votre fils? Espérez-vous gagner le Ciel, vous qui dérobez une victime à la vengeance d'un pontife?

CATTERINA. — Qu'il y a d'amertume dans toutes tes paroles!

LORENZO. — D'ailleurs, Madonna, je suis déshonoré. Le peuple me montre au doigt. Le rejeton d'une si noble souche a pourri dans sa racine. Comment pourriez-vous encore m'appeler votre fils? La gloire fut toujours plus chère que la vie aux illustres Soderini, et leurs enfants, moins précieux que leur honneur, servirent souvent d'holocauste sur l'autel du préjugé.

MARIA. — Assez, Lorenzo, assez. Votre cœur est bien malade.

LORENZO. — Vous avez raison, mère. Si je pouvais l'arracher de ma poitrine, je l'écraserais sous mes pieds. Cattina, lis-moi l'histoire de Brutus.

CATTERINA. — Oh! C'est une histoire de sang.

LORENZO. — J'aime cette histoire. (*On frappe. Catterina ouvre la porte.*)

(*Bindo Altoviti, Giulio Capponi.*)

CATTERINA. — Mon oncle! (*Bindo l'embrasse. Maria vient à sa rencontre.*)

BINDO, *bas.* — Je viens tenter un nouvel effort sur lui.

MADONNA MARIA. — Hélas! puisse-t-il n'être pas inutile! Je vous laisse ensemble. (*Elle sort avec Catterina.*)

BINDO. — Renzo, je viens vous prier de démentir la ridicule anecdote qui circule sur votre compte ce matin.

LORENZO, *à part.* — Bon parent! Nous y voilà. (*Haut.*) Et quelle est la chronique? Fait-elle un peu plus d'honneur à l'esprit de son auteur que toutes celles dont jusqu'ici j'ai été le héros?

BINDO. — On assure que vous avez supporté les insultes de ce valet de la cour de Rome, ce Valori. On dit même que la seule vue de son épée dirigée contre vous...

LORENZO. — Il suffit, mon oncle, l'histoire est assez exacte.

BINDO. — Et tu en conviens sans rougir, Lorenzo!

LORENZO. — Sans rougir le moins du monde. En quoi donc suis-je coupable, de ne pouvoir surmonter une répugnance toute physique indépendante du raisonnement et de la volonté?

BINDO. — Tout cela est une feinte odieuse, une lâche adulation. Nous t'avons vu ardent aux idées de gloire, impatient jusqu'à la fureur devant l'ombre d'un affront. Nous t'avons vu même manier le fer avec adresse. Dans ce temps-là, le désir de devenir célèbre était la seule passion qui dévorât ton âme inquiète et sauvage. Notre grand Strozzi nous prédisait que ton nom vivrait parmi ceux des héros de la liberté. Mais ce séjour à Rome t'a perdu, Lorenzo, et tu es devenu pire qu'une femme. Tu t'es courbé jusque dans la fange devant le tyran...

LORENZO. — Le tyran! Ce peut être le vôtre. Quant à moi, si je le sers avec soumission, du moins je ne le maudis pas derrière l'abri des murailles. Si j'étais son ennemi, je m'en débarrasserais, sans faire tant de réflexions. Mais pourquoi le haïrais-je? Il paye mes dettes, et rit de mes écarts, au lieu de les poursuivre en pédagogue et de me laisser mourir de faim. Sur mon âme! J'ai trouvé plus d'indulgence dans le cœur de Tibère que dans celui de tous mes parents.

BINDO. — Ô Lorenzo, quelle indulgence ne lasserais-tu point?

LORENZO. — Je crois bien. Je n'ai plus personne qui me soutienne. Les amis, c'est comme les pierres d'un mur. La première qui se détache entraîne toutes les autres. Que votre honneur reçoive une brèche, chacun y met la main pour l'élargir, et d'une égratignure, ils nous font une plaie. La haine se forme de trois choses, l'envie, la calomnie, le mépris. L'abandon couronne l'œuvre. Aussi l'homme sage se passe d'amis, parce qu'il sait que ce sont des aveugles qui saluent l'habit tant qu'il est neuf. S'il se déchire, adieu. L'homme qui est dessous n'est rien pour eux, et ne doit pas espérer qu'un ami le couvre du coin de son manteau. Allez, vous m'avez appris ce que vaut votre attachement, et vous m'avez par là affranchi de tout devoir envers vous. Vous n'avez donc plus le droit de me demander compte d'une vie que je consacre tout entière au plaisir, le seul traître assez aimable pour se faire pardonner tous ses torts.

BINDO. — Il y a une rudesse bien amère dans toutes ces métaphores. Mais je n'y ferai pas attention parce qu'on sait que ta fantaisie est de tout dénigrer et de tout nier. Je suis venu avec la résolution de ne me décourager d'aucune de tes injustes préventions. Il faut que tu nous donnes aujourd'hui une réponse décisive. Tu sais de quoi il est question. Les crimes d'Alexandre ont lassé la patience du peuple. Le complot est près d'éclater. Il ne lui manque qu'un chef qui convienne à la fois au peuple et aux grands. Voici le représentant de ce brave peuple qui vient te proposer de sauver la patrie avec nous.

LORENZO, *à Capponi.* — Et c'est pour cela que Sa Populaire Seigneurie a daigné visiter la maison abandonnée du solitaire Lorenzo?

CAPPONI. — De grâce, Messere[8], laissez aux gens de cour cette feinte humilité et ce faux respect. Je ne suis point un marquis napolitain, mais seulement un bourgeois de Florence. Nous autres, voyez-vous, nous en usons sans tant de façons. Nous laissons aux Espagnols ces grands airs et ces grands titres, qu'ils nous ont apportés avec leur joug odieux. C'est à eux qu'il convient de dégainer la rapière à chaque coin de rue pour un salut trop léger, ou pour un *vous* au lieu d'un *monseigneur*. La simplicité convient à nos mœurs républicaines, et c'est une suite de la dépravation des cours que tout cet étalage de sentiments trompeurs et d'embrassades perfides.

LORENZO. — Admirable ! Sublime ! Vous avez eu là, monsieur le représentant du peuple, un très beau mouvement oratoire. Vous êtes républicain dans l'âme, par saint Laurent ! j'aurais dû le deviner à la couleur de votre pourpoint et au peu d'ampleur de votre manteau.

CAPPONI, *à Bindo.* — Je crois qu'il raille.

BINDO. — C'est sa manière accoutumée. N'y faites pas attention et lui exposez votre mission.

CAPPONI. — Messere Lorenzo de Médicis, nous aurons tous confiance en votre parole, si vous voulez enfin nous la donner. Il est vrai que votre assiduité auprès du tyran nous avait fait concevoir quelque doute sur votre dévouement à la cause publique. Mais messire Altoviti, votre oncle, nous a rassurés en nous disant que vous n'observiez le duc de si près que pour vous rendre maître de tous ses projets et les déjouer. C'est un but noble et généreux qui vous rend toute notre confiance. Nous savons bien que vous ne démentirez pas l'illustre sang des Soderini dont vous sortez et celui de cette branche des Médicis qui eut pour souche le grand Cosme[9], et que le peuple, dans son affection, a surnommé Popolani[10].

LORENZO, *bâillant.* — Ah ! laissez ma généalogie, Monsieur de la République. Plus patriote que vous, je ne fais aucun cas du préjugé de la naissance, et je vous trouve fort imprudent de venir confier vos projets au favori d'Alexandre, sur la seule garantie que ce favori est le fils de son père, garantie dont, au reste, l'homme sage devrait toujours se méfier.

BINDO. — Votre scepticisme impie me fait rougir de vous, Lorenzo : ce n'est pas sur ce ton caustique et frivole que vous devriez répondre à des offres aussi sérieuses. Depuis longtemps vous nous laissez dans un doute pénible sur vos véritables sentiments à l'égard d'Alexandre. Songez que si vous ne prenez enfin un parti, nous vous soupçonnerons d'avoir favorisé le complot afin de nous trahir en nous caressant. Songez aussi qu'une nouvelle carrière s'ouvre devant vous et qu'au lieu d'être le courtisan d'un monstre détesté, vous pouvez devenir le chef d'une république puissante.

LORENZO. — Le chef d'une république, moi?... Oh! il y a ici un imbroglio très compliqué. Plaît-il à Vos Seigneuries que je l'éclaircisse pour l'avantage des deux parties? — Primo, à vous, seigneur Altoviti, je dirai : que vous aimeriez à placer un homme de votre choix à la tête du gouvernement, que peut-être cette cour opulente et licencieuse choquerait moins vos principes d'économie et d'austérité, si vous y occupiez un rang digne de votre naissance et de votre ambition. Mais vous comptez sur l'appui de la famille Capponi et sur l'assentiment des familles bourgeoises de Florence, et vous tombez dans une grave erreur, car voici le frère de Niccolo Capponi, dernier gonfalonier de la République[11] et vous auriez dû comprendre que lui et les siens ne s'accommoderont jamais du rétablissement de la principauté, puisqu'ils doivent travailler à rétablir une charge à laquelle la popularité de leur nom et d'anciens services leur donnent le droit de prétendre. Secondo, à vous, messire Capponi, je dirai : que vous aimeriez le rétablissement du gouvernement populaire, parce que vous en seriez le plus important personnage, et qu'il est doux de sortir d'une obscurité aussi haïe que vantée, parce qu'aussi la vengeance est saine et bienfaisante, et que tout le sang florentin que ceux-ci font répandre, vous autres, en laveriez la trace sur les pavés de notre ville avec des flots de sang espagnol. Tout cela est fort sagement conçu et très philosophiquement pensé. Mais vous commettez une notable imprudence en comptant sur l'appui des familles patriciennes, qui ne trouveront jamais leur compte à la République, et surtout à la vôtre, car vous voyez ici le seigneur Altoviti qui ne me met en avant que pour écarter les prétentions de son autre neveu, Cosme de Médicis. Ce rival éloigné, l'exclusion de l'insensé Lorenzaccio serait bientôt votée, et je ne vois personne qui s'accommoderait mieux du sceptre ducal que le seigneur Altoviti lui-même; et à vous deux, tertio, je donnerai un conseil de prudence et de raison. C'est de ne point trop compter sur le peuple et de vous rappeler la conjuration des Pazzi, qui, pour prix de la mort des tyrans, furent portés pièce à pièce au bout des piques, tandis que ce grand peuple dont ils avaient voulu consommer la délivrance couvrait de boue leurs lambeaux palpitants. Croyez-moi, mettez un frein à cette inquiète ambition qui vous tourmente et ne la couvrez point tant du manteau de la philanthropie. Car, à voir les hommes comme ils sont, personne ne peut vous croire. Telles sont les humbles représentations de votre serviteur qui vous baise les mains.

BINDO. — Arrête, nous sommes venus t'offrir un parti avantageux, et tu réponds par l'outrage. Tu nous feras amende honorable, ou tu nous rendras raison.

LORENZO. — Point, mon oncle. Je ne suis pas né spadassin. Prenez-vous-en à Dieu, qui ne m'a pas fait brave. Je conçois qu'il vous serait avantageux, maintenant que votre secret est dans mes mains, et que vous avez peur, de vous débarrasser de moi. Mais calmez-vous, et profitez du conseil qu'un fou peut donner.

CAPPONI. — Vous m'avez insulté personnellement, mais j'ai pitié de votre pusillanimité. Seulement, souvenez-vous bien que si vous trahissez...

LORENZO. — Point de menace. Vous froissez mon pourpoint et ne m'effrayez guère. Faites pour le peuple ce qu'il vous plaira. Je ne ferai rien. Je hais les hommes, et plus ils sont grossiers, plus je les méprise. Je n'ai pas d'intérêt à les caresser parce que je ne veux rien d'eux. En refusant la popularité, je suis plus franc et plus brave que vous. Allez, pour faire une conspiration, il ne faut que deux choses : un homme et un poignard. Laissez mon pourpoint vous dis-je. C'est de l'étoffe de vos magasins, peut-être, et vous voulez me forcer d'en acheter un neuf. Il me paraît que vous vous entendez mieux aux affaires de votre boutique qu'à celles de l'Etat. Vous êtes bien imprudent d'impatienter de la sorte un homme que vous craignez.

BINDO. — C'en est trop! Lâche, fanfaron, chien de cour!

UN PAGE, *annonçant*. — Le duc.

CAPPONI ET BINDO, *atterrés*. — Nous sommes trahis!

LORENZO, *les contemple avec ironie, puis s'avance à la rencontre d'Alexandre*. — D'où me vient une faveur si grande, que mon maître daigne venir visiter son serviteur?

LE DUC. — Tu t'es trouvé malade ce matin au Palais et j'étais pressé, Lorenzino, de m'assurer que cet événement n'avait pas eu de suites.

LORENZO. — C'est trop de bontés! La gracieuse visite de Votre Altesse m'est d'autant plus favorable qu'elle me fournit l'occasion de lui présenter deux citoyens de cette ville également empressés de lui offrir leurs humbles hommages. L'un est mon oncle Bindo Altoviti, qui regrette que son long séjour à Naples ne lui ait pas permis plus tôt de se prosterner devant Votre Altesse. L'autre est messire Giulio Capponi, qui venait me prier de l'introduire devant elle, afin qu'il pût mettre à ses pieds les protestations de dévouement et de fidélité de sa bonne ville de Florence.

LE DUC. — En vérité ? Cet hommage de deux sujets que j'avais soupçonnés de favoriser tacitement la rébellion me serait agréable, s'il était bien sincère.

LORENZO. — Que Votre Altesse n'en doute point. Ces deux fidèles sujets voulaient aujourd'hui même lui être présentés, afin de désavouer toute participation à la sédition qui a éclaté ce matin et dont ils ont vu avec joie le juste châtiment. (*A Bindo et à Capponi.*) Que la présence inattendue d'un si grand prince dans cette humble maison ne vous frappe point ainsi de crainte et d'émotion. Dites-lui que j'ai été le fidèle interprète de vos sentiments intimes.

BINDO, *troublé.* — En effet, Votre Altesse doit croire que mon neveu...

LE DUC. — Fort bien. Nous sommes contents de voir un allié de notre maison faire les premiers pas vers nous et nous le prions d'accepter la direction de notre prochaine mission à notre royal beau-père l'empereur Charles V[12].

BINDO, *s'incline profondément.* — C'est un honneur dont je sens tout le prix et Votre Altesse peut compter sur ma fidélité.

LE DUC. — Il suffit. Quant à vous, Messere Capponi, nous savons que votre influence est grande. Nous vous engageons à la faire servir à notre profit. Ce sera aussi le vôtre. Car nous vous offrons, si vous y parvenez, l'exemption de toute contribution présente et future, pour vous et toute votre famille.

CAPPONI. — Ah ! messire prince, c'est trop de bontés. Vous êtes... Votre Seigneurie est un grand prince.

LE DUC. — Tous ceux que j'ai enrichis me l'ont dit. Que ma présence ici ne vous retienne pas plus longtemps.

CAPPONI. — Oh ! nous resterons avec plaisir.

LORENZO, *à Capponi.* — Cela signifie qu'il est temps de vous retirer. (*Bindo entraîne Capponi et le force à s'incliner à plusieurs reprises, ce dont il s'acquitte fort gauchement.*)

LE DUC, *à ses écuyers qui gardent les issues.* — Laissez passer ces deux personnes. (*Lorenzo le suit des yeux avec préoccupation.*)

LE DUC. — Voyez ! ce marchand grossier et ce noble perfide ! l'un cupide, l'autre vain ! quelle odeur de trahison, quelle puanteur de peuple ils ont laissées ici ! Ouvre les fenêtres, Renzo, je crois toujours sentir ce plébéien m'envoyer son haleine à la figure, tout en me jetant son *vous* à la tête !

LORENZO. — Votre Altesse veut-elle voir les lettres que j'ai reçues du dehors ?

LE DUC. — Volontiers. Dis-moi, cet infernal Strozzi ?

LORENZO. — Toujours à Venise. Mais, sur mon invitation, il doit rentrer ici mystérieusement et y travailler au prétendu complot que j'ourdis contre Votre Altesse.

LE DUC, *prend la lettre et lit.* — En vérité ! il viendra !

LORENZO. — Aussitôt qu'il sera caché dans cette maison, je le livre à la vengeance de mon maître.

LE DUC. — Bon Lorenzino ! Oh ! me défaire de cet ennemi acharné ! — Et ce Benedetto Varchi[13] ?

LORENZO. — Voici sa réponse.

LE DUC, *lisant la lettre.* — « Alexandre, chargé d'iniquités, tombera sous la vengeance publique. Il n'est pas besoin de mon concours. Par état, je répands l'encre et non le sang. » Est-ce qu'il se méfierait de toi ?

LORENZO. — Je ne le pense pas. Quand cela serait, il ne tombera pas moins dans mes filets.

LE DUC. — Et ce Giovanni della Casa, qui répand, dit-on, dans Florence, ses hymnes à la Liberté ?

LORENZO. — Un exalté, un jeune fou, mais point dangereux, et amant du plaisir avant tout.

LE DUC. — Faisons-lui grâce, s'il est libertin, car nous le sommes aussi. Tu le sais, Lorenzino ? (*Il regarde autour de l'appartement.*) Mais pourquoi ai-je trouvé cette maison vide de femmes ? Il y en a quelquefois aux fenêtres, et leur regard enchaîne longtemps celui qui passe dans la rue.

LORENZO. — En effet ma mère fut renommée pour sa beauté, mais Votre Altesse l'a vue de loin. Et la bonne dame ne l'est aujourd'hui que pour sa vertu.

LE DUC. — Par saint Cosme ! Il s'agit bien de ta mère ! Elle n'est pas seule ici ? Dis-moi, où est ta sœur ?

LORENZO. — Ma petite sœur ?

LE DUC. — Pourquoi la faire si petite ? Elle a bien quinze ans ? Ce n'est pas mon œil exercé qui s'y tromperait.

LORENZO. — En vérité, c'est un enfant.

LE DUC. — C'est un enfant qui allume des passions d'homme. Tiens, Lorenzo, il faut que tu saches le vrai motif de ma visite. J'espérais la voir.

LORENZO. — Par quel art cette petite fille a-t-elle su inspirer tant de curiosité à Votre Altesse ?

LE DUC. — De la curiosité ! Dis donc de l'amour, mais l'amour le plus violent, la passion la plus effrénée que j'aie ressentie de ma vie. Oh ! depuis plusieurs jours je m'enivre à la contempler, tantôt là, penchée vers cette fenêtre et livrant à la brise ses longs cheveux noirs, tantôt à l'église, les yeux baissés sous son voile entrouvert, plus belle, plus naïve que les Vierges que notre vieux Michel-Ange rêvait aux beaux jours de sa jeunesse. Et puis quand elle se lève et que d'un pas léger elle effleure les dalles du temple, la pétulante gaieté de son âge encore contenue par le recueillement de la prière, on dirait d'une hirondelle vive et flexible qui va s'élancer du portique dans les airs. Oh ! va la chercher, Lorenzino, que je touche sa taille élastique, que je fasse de mes deux mains une ceinture étroite à sa taille déliée, que je respire le parfum de ses cheveux brillants ! Va la chercher. Je n'aime plus aucune des femmes que tu m'as livrées, et je te tiens quitte à l'avenir de m'en trouver de nouvelles, si dès aujourd'hui tu peux me procurer un rendez-vous avec cet ange.

LORENZO. — Dès aujourd'hui ? C'est difficile. La petite est farouche et vous aurez toute une éducation à faire. En outre sa mère est d'une vigilance austère, et nous aurons de la peine à décider l'une et à éloigner l'autre. Donnez-moi quelques jours.

LE DUC. — Ne me parle pas de retards. J'ai déjà trop souffert et trop attendu. Songe qu'il ne s'agit plus d'une de ces fantaisies d'un jour qui réveillaient à peine mon sang engourdi. Songe que si tu te mêles d'avoir des scrupules (la chose du monde qui te siérait le moins), ta sœur ne tombera pas moins à mon pouvoir. L'amour ne connaît pas d'obstacles et le mien surtout. Songe enfin que si tu abrèges ma cruelle angoisse, tu obtiendras tout ce que tu me demanderas, fût-ce la première charge de l'Etat, ou la fortune de Cosme, au mépris des lois, ou la tête de ton ennemi. Essaye.

LORENZO. — Je n'ai pas besoin de toutes ces promesses. Vous savez bien que si la chose est humainement possible, Lorenzo vous servira.

LE DUC. — Cours donc, ami, dis-lui que le duc de Florence se meurt d'amour pour elle, dis-lui qu'il couvrira de perles et de pierreries sa noire chevelure et son sein naissant et ses bras moelleux, dis-lui qu'il lui donnera le plus beau cheval que Naples ait jamais fait courir dans ses fêtes, la plus belle haquenée de toutes les Espagnes, des étoffes d'or et des voiles brodés de Constantinople... Tu rêves et ne me réponds point ?

LORENZO. — Je cherche un moyen. Si je pouvais l'éloigner un instant de sa mère, la femme est toujours femme, et la vertu s'amollit devant les richesses, comme la cire devant le feu.

LE DUC, *détachant sa bourse de sa ceinture.* — Tiens, prends cet or pour commencer, et dis-lui de demander la fortune de vingt familles, mais hâte-toi.

LORENZO. — J'obéis. Mais il faut que Votre Altesse évite les yeux clairvoyants de ma mère. Si elle concevait le moindre soupçon, la petite serait jetée dans un couvent ou envoyée aux Strozzi. Dans deux heures, je serai au palais et j'espère porter à Votre Altesse une réponse favorable.

LE DUC. — Je compte sur toi, compte sur la récompense.

LORENZO, *seul.* — Oui, compte sur moi ! Je jure par le ciel et par l'enfer, par le sein de ma mère et par la damnation éternelle, que tu me trouveras aujourd'hui. Toi-même as marqué ton heure. O mon bien-aimé maître, je te remercie !

On rapprochera cette seconde scène de la scène IV de l'acte II de *Lorenzaccio.*

2. DE GEORGE SAND À BENEDETTO VARCHI

2.1. LES PLANS SUCCESSIFS DU DRAME

Dans sa thèse complémentaire, Paul Dimoff a étudié *la Genèse de « Lorenzaccio »* (Editions Droz, 1936). Concernant les états successifs de la pièce, lui-même se réfère souvent au travail de recherche fait par Gastinel auparavant :

> M. Gastinel a étudié avec finesse par quelle suite de retouches, d'enrichissements, d'élargissements, Alfred de Musset avait réussi à tirer de la modeste scène historique de sa maîtresse un drame vaste et puissant. Je me bornerai donc à rappeler en quelques mots ses conclusions, en y joignant les remarques auxquelles l'examen des plans du manuscrit Lovenjoul m'a conduit.
> Dès le premier de ces plans, on sent chez Alfred de Musset l'intention d'étoffer le scénario, trop mince à son gré, de George Sand, en y ajoutant des épisodes secondaires.

◆ G. Sand et Musset ont tous deux fait appel à la même source, mais avec une attention différente, si l'on en croit P. Dimoff :

> On peut donc penser que l'une de ses premières tâches a été, pour découvrir ces épisodes, de compulser à son tour l'ouvrage de Varchi, mais d'une façon beaucoup plus sérieuse et attentive que ne l'avait fait George Sand. Non seulement, en effet, il a revu d'un bout à l'autre le livre XV de l'*Histoire de Florence,* où elle avait pris son sujet, mais encore il en a, sinon lu, du moins feuilleté les livres IX-XIV, qu'elle paraît avoir à peu près négligés.

Cela explique, dès le premier plan, des différences notables entre les deux écrivains :

> Aussi le premier plan, du fait de ces lectures, se présente-t-il déjà comme un remaniement complet de l'essai de George

Sand : au lieu de six tableaux, il en contient vingt-deux; et l'on dirait qu'Alfred de Musset cherche à modifier de fond en comble l'arrangement imaginé par sa maîtresse : s'il lui emprunte l'idée de quelques scènes — la scène de l'épée, la scène des républicains devant le Duc —, il en change la présentation, les circonstances, et jusqu'à certains personnages. Visiblement il est désireux de faire œuvre personnelle et de se passer autant qu'il le pourra du secours d'autrui.

◆ Mais avec le second plan — simple remise au point des trois premiers actes —, cette belle ambition cède aux leçons de l'expérience : Alfred de Musset, après avoir vérifié sans doute, à la réflexion, que ses combinaisons ne valent pas celle que George Sand avait inventée d'abord, revient, pour la scène des républicains, au dispositif et aux circonstances du deuxième tableau d'*Une conspiration en 1537*. A part ce revirement curieux, il n'y a guère à observer, dans ce second plan, que la forme beaucoup plus précise que prennent les scènes destinées à introduire dans le drame les amours de la Comtesse Cibo et du Duc et le personnage du Cardinal Cibo, mêlé à cette intrigue.

◆ Le troisième plan ramène des similitudes importantes entre *Une conspiration en 1537* et *Lorenzaccio :*

> Dans le troisième plan, Alfred de Musset, décidément assagi, et convaincu désormais que George Sand a su trouver d'instinct pour certains tableaux le dessin le plus heureux, fait, pour la scène de l'épée, ce qu'il avait déjà fait pour la scène des républicains : il la rétablit presque telle que sa maîtresse l'avait construite; en outre, de cette scène des républicains elle-même, il calque plus exactement encore la disposition sur l'arrangement de George Sand, en la terminant, comme dans *Une conspiration en 1537,* par une conversation du Duc et de Lorenzaccio à propos de Catherine.

Mais Musset n'en retourne pas moins au texte de Benedetto Varchi :

> D'autre part, toutes les parties neuves de l'action, j'entends par là celles où doivent se développer les épisodes secondaires, l'aventure de la Comtesse Cibo, l'outrage de Julien Salviati à la famille Strozzi et ses suites, la mort de Louise Strozzi, achèvent de prendre nettement tournure : on devine que, pour rédiger son dernier plan, l'écrivain a relu des passages de l'*Histoire de Florence;* et les notes marginales de ce plan, contenant de nouveaux noms de personnages ou de nouveaux renseignements sur des personnages employés déjà, attestent qu'il a fait cette lecture la plume à la main.

◆ « Du troisième plan à la rédaction définitive, l'écart reste énorme », écrit P. Dimoff, qui suggère deux explications à ce phénomène :

> Par l'adjonction à l'intrigue centrale d'intrigues annexes de plus en plus développées — la progression du nombre des scènes de 22, dans le dernier plan, à 39, dans la rédaction ultime, témoigne de l'importance de ce développement —, Alfred de Musset n'a pas seulement, comme le constate M. Gastinel, donné plus d'ampleur à son drame ; il y a fait revivre, autour de l'histoire qui en forme le sujet, toute l'atmosphère d'une époque.

Il poursuit en révélant un des aspects les plus intéressants de la pièce :

> La multiplicité des personnages, appartenant à tous les âges, à tous les milieux, à tous les partis, et qui évoquent à nos yeux toute la ville, la diversité des sujets traités ou effleurés, des plus nobles, comme l'art et la politique, aux plus vulgaires, comme la grossière débauche d'un Alexandre de Médicis ou d'un Salviati et la lâcheté des courtisans devant le peuple, la variété des tons d'une scène à l'autre, « tout cela, dit M. Gastinel avec raison, laisse l'impression d'avoir, en quelques heures, parcouru un monde entier ».

Une seconde explication concerne la psychologie des personnages :

> En rédigeant sa pièce, Alfred de Musset a créé et approfondi le caractère de certains personnages avec une maîtrise que les plans ne pouvaient évidemment faire prévoir. Ceci est surtout vrai du caractère de Lorenzaccio, le héros du drame : même en tenant largement compte des traits qu'Alfred de Musset a glanés chez Varchi et chez George Sand, il y a là une création d'une originalité extraordinaire. Mais, à un moindre degré, les caractères de Philippe Strozzi et du Cardinal Cibo sont, eux aussi, des créations intéressantes. Il n'est pas jusqu'à des personnages plus humbles, le vieil orfèvre Mondella par exemple, qui n'aient un relief surprenant. Ces caractères, observe encore M. Gastinel, font de *Lorenzaccio* un ouvrage plus remarquable peut-être par les problèmes philosophiques qu'il soulève que par l'évocation historique même qu'il suggère.

On cherchera dans quelle mesure ces deux traits de la pièce fondent sa valeur pour le spectateur ou le lecteur actuel. On s'efforcera de rechercher la part qu'occupe cette dernière raison de succès invoquée par P. Dimoff :

> Mais le véritable secret de cette réussite, prodigieuse pour l'homme de vingt-quatre ans qu'était Alfred de Musset en 1834, c'est qu'il s'est mis tout entier dans son drame.

2.2. LA VALEUR DU TÉMOIGNAGE DE B. VARCHI

Là encore, nous nous reportons à l'étude de P. Dimoff. Voici d'abord une impression d'ensemble :

> En lisant l'*Histoire de Florence,* on a l'impression d'une réelle indépendance d'esprit : Varchi ne dissimule pas plus les défauts de Philippe Strozzi ou de Lorenzo de Médicis que ceux du Duc Alexandre ; quand il hésite sur les détails d'un fait ou sur les mobiles d'un acte, il rapporte côte à côte des témoignages ou des explications contradictoires. On sent chez lui le souci de dire tout ce qu'il croit savoir, sans rien oublier et sans rien taire.

a) L'information.

Son premier avantage est d'être historien officiel :

> Un historien officiel, s'il risque d'être moins impartial qu'un autre, a chance d'être, dans bien des cas, au XVIe siècle surtout, mieux renseigné. La sûreté d'information de Varchi est en effet remarquable. Il a visiblement eu accès à des archives qui ne s'ouvraient pas au premier venu, grâce à quoi il a pu citer le texte de documents tels que des traités et des lettres. Il a reçu des confidences de bouches autorisées, qui peut-être, s'il ne se fût recommandé de l'autorité du Duc, seraient restées muettes.

Mais il connaît les deux camps antagonistes :

> A ce point de vue aussi, d'ailleurs, son passage dans le parti républicain lui a été fort utile. Inspirant confiance aux bannis, il a été au courant de leurs tractations, de leurs craintes, de leurs espérances ; familier des Strozzi, il a appris d'eux-mêmes leurs projets et leurs menées ; en bons termes avec Lorenzo de Médicis, il s'est fait raconter par lui, dans tous ses détails, l'assassinat d'Alexandre. Après avoir, à Florence, assisté aux événements et entendu ce qui s'en disait sur place, il a par la suite, à Bologne et à Venise, eu toute commodité d'en causer avec des étrangers et de connaître par eux des dessous que les Florentins avaient peine à deviner.

b) Les qualités de psychologue.

> Il convient enfin de rendre à Varchi cette justice encore qu'il se montre assez habile psychologue. Derrière les faits, il cherche à retrouver les hommes, à discerner leur caractère, à apercevoir le fond de leur âme. Il paraît bien y avoir quelquefois réussi. Les portraits qu'il a insérés dans son histoire, celui de Philippe Strozzi par exemple, sont tracés avec finesse et vraisemblance : il signale en conscience chez ses personnages leurs bons et leurs mauvais côtés et leur laisse ainsi

> la complexité de la vie même. Ce n'est pas là simple honnêteté de sa part : Varchi semble avoir eu le sentiment que la nature humaine n'est pas simple et qu'on la fausse en voulant la simplifier.

P. Dimoff en donne ensuite un exemple :

> Après avoir fait le récit du meurtre du Duc Alexandre, il déclare qu'il s'abstiendra de juger la conduite du meurtrier et de qualifier son acte de pieux ou de cruel, de louable ou de répréhensible; il serait nécessaire, dit-il, pour se prononcer équitablement, de savoir quel motif a déterminé Lorenzo à le commettre. Mais il énumère les raisons assez nombreuses qui ont été alléguées par les uns et par les autres pour expliquer ce crime, et conclut avec prudence : aucune de ces raisons n'en fournit à elle seule l'explication, et il a fallu qu'elles agissent toutes ensemble pour conduire Lorenzo à une décision aussi terrible.

3. HISTOIRE DES RÉVOLUTIONS DE FLORENCE SOUS LES MÉDICIS

Si Alfred de Musset, comme George Sand, a lu l'ouvrage de Benedetto Varchi — dont nous venons de rappeler le titre — dans le texte italien, nous en proposons ci-dessous les passages essentiels pour *Lorenzaccio* dans une traduction ancienne, celle de Requier, datant de 1765 (Paris, Musier fils, 3 vol., in-8°). Cette traduction n'est pas d'une fidélité parfaite, mais cela est de peu d'importance dans la mesure où Musset n'a cherché dans cet ouvrage que des faits et non un style. Lorsqu'il arrive qu'il y ait identité d'expression entre Varchi et Musset, c'est qu'il s'agit de la reproduction d'un document historique (exemple : la proclamation lue par Lorenzo à la scène II de l'acte V). Paul Dimoff faisait d'ailleurs remarquer, après avoir rendu hommage aux qualités d'impartialité et de finesse psychologique de Varchi, que « les qualités très appréciables s'accompagnent malheureusement chez Varchi d'un grave défaut : il n'est pas artiste ». Défauts de composition, maladresses de narration, et surtout imperfection de style : « Enfin son style est diffus et traînant, assez négligé parfois. »

3.1. LA DISPARITION DE LA COTTE DE MAILLES DU DUC

Voici le texte de Varchi, que l'on comparera avec le passage correspondant du drame de Musset. Le chroniqueur, en même temps, nous relate les termes en lesquels se trouvaient Lorenzo et les Strozzi :

> [...] Laurent de Médicis, qui, depuis, tua le Duc, lui avait souvent dit du mal de ce Prince, quand la haine eut éclaté

entre celui-ci et les Strozzi. Et Laurent, qui faisait tout son possible pour gagner la confiance du Duc afin de le tuer plus aisément, lui avait rapporté ces médisances. Pierre, qui s'en aperçut, changea son amitié pour Laurent en aversion mortelle. Le peu de temps qu'il resta encore à Florence et la grande faveur de Laurent auprès du Duc l'ayant empêché de se venger, il résolut de le faire à Naples, de paroles du moins. Dans un cercle nombreux de gentilshommes de la suite du Duc et d'exilés, il dit, en se tournant vers Laurent, qu'il s'étonnait que ces Seigneurs le souffrissent à leur compagnie et que le Duc eût confiance en un homme qui avait voulu l'assassiner. Il fit alors la récapitulation de tous les entretiens qu'ils avaient eus ensemble à Florence, et dit les mesures qu'ils avaient résolu de prendre pour tuer le Prince[14]. Laurent écouta Pierre sans l'interrompre ni s'émouvoir et répondit : « J'espère vous faire voir clairement et bientôt que je suis honnête homme. » Il quitte ensuite brusquement l'Assemblée et va faire le rapport de tout au Duc.
Uniquement occupé de son dessein, Laurent était attentif à toutes les occasions de l'exécuter. Le Duc avait une cotte de mailles d'une beauté et d'une bonté rares. Il la portait toujours sur soi, et plusieurs fois il lui était échappé de dire que si elle n'était pas si bien adaptée à sa taille il n'irait point armé, vu le peu de besoin qu'il en avait. Laurent, qui avait entendu ces paroles, choisit le moment où le Duc, l'ayant ôtée pour changer d'habits, avait passé dans une seconde chambre. Resté seul dans la première, il la prend et va la jeter dans un puits. Il espérait que le Duc, ne retrouvant plus cette armure qu'il aimait tant, pourrait bien venir chez lui désarmé pour voir une femme de la jouissance de laquelle il l'avait flatté, ou que s'il n'allait pas à ce rendez-vous, il ne mettrait pour les autres, et peut-être toujours à l'avenir, que ses habillements ordinaires ; qu'enfin on pourrait trouver moyen de le tuer en faisant naître quelque démêlé parmi ceux qui fréquentaient son appartement.

3.2. LORENZO ET LE DUC

On étudiera comment B. Varchi présente leurs relations et l'on comparera avec le texte d'Alfred de Musset.

La nuit où le Duc devait périr était arrivée. Ce fut la veille de l'Epiphanie de l'année 1537, entre la cinquième et la sixième heure de la nuit. Il n'avait pas encore 26 ans accomplis. Je ferai le récit de sa mort d'après ce que j'en ai entendu de la bouche même de Laurent de Médicis et de Scoronconcolo, meurtrier de ce Prince, les seuls de qui on pouvait attendre la certitude de ce fait. Mais avant que de commencer, je juge à propos de dire quelque chose de la vie et des mœurs du premier.

Laurent naquit à Florence, le 23 mars de l'année 1514, de Pierre François de Médicis, arrière-neveu de Laurent, frère de Côme, et de Marie, fille de Thomas Soderini, femme d'une prudence et d'une vertu rares. Il perdit son père de bonne heure, et fut élevé avec le plus grand soin par sa mère. Laurent fit des progrès rapides dans les Belles-Lettres; il sortit bientôt des mains de sa mère et de son maître; et commença à montrer un cœur plein de penchant pour le mal, et que rien ne pouvait satisfaire. On le vit bientôt, à l'exemple de Philippe Strozzi, se moquer ouvertement de toutes les choses divines et humaines. Pour se faire rendre des respects, il se familiarisait plus volontiers avec les personnes de basse naissance qu'avec les égaux. Il satisfaisait tous ses goûts, surtout en fait d'amour, sans égard au sexe, à l'âge, à la condition. Mais caressant chacun, il n'aimait au fond personne. Il avait un désir si excessif de gloire qu'il ne négligeait nulle occasion de dire ou de faire quelque chose qui pût lui en acquérir. Il était, d'un autre côté, si avare, qu'on l'appelait Lorenzino[15]. Il n'avait du rire que le sourire; était brun et mélancolique, plutôt passable que beau : ce qui n'empêcha pas qu'à la fleur de l'âge Clément VII ne l'aimât éperdument. Il eut néanmoins dessein d'assassiner ce Pontife, selon qu'il le dit lui-même, depuis qu'il eut tué le Duc. Il poussa si fort par ses railleries François de Médicis, émule de Clément, jeune homme très instruit et qui donnait de grandes espérances que, devenu le jouet de la Cour de Rome, et ayant pour ainsi dire perdu l'esprit, il fut renvoyé à Florence, comme fou. Ce fut dans ce même temps que Laurent encourut la disgrâce du Pape et la haine de tout le peuple romain. Il abattit, durant la nuit, les têtes de plusieurs statues antiques, placées dans divers endroits de Rome. Le Pontife qui, d'abord, ne pensait pas que cette méchanceté vint de lui, en fut si irrité qu'il ordonna que l'auteur, quel qu'il pût être (le Cardinal de Médicis excepté), fût pendu sur-le-champ, sans forme de procès. Quand il sut que Laurent était le coupable, il le nomma l'Infamie de la maison de Médicis; et il eut bien de la peine à s'apaiser, malgré les représentations que lui fit le Cardinal sur la jeunesse du Prince et sur l'envie qu'il avait de se procurer de pareils morceaux à l'exemple de leurs ancêtres. Il y eut néanmoins deux proclamations, dont l'une lui interdisait à jamais le séjour à Rome, et l'autre promettait récompense à quiconque l'y tuerait.

Laurent retourna donc à Florence, où il s'appliqua à faire sa cour au Duc. Il sut si bien se déguiser et se plier à tous ses goûts qu'il gagna pleinement sa confiance. Il le persuada qu'il veillait à sa sûreté et il lui montrait, chaque jour, des lettres qu'il avait reçues de divers exilés, avec lesquels il feignait d'avoir des intelligences secrètes. Le Duc s'en méfiait si peu qu'il le regardait comme pusillanime à certains égards. C'était parce que Laurent ne voulait ni porter des armes, ni en toucher, ni même en entendre parler. Ce Prince l'appelait en même temps le Philosophe à cause qu'il étudiait, qu'il se promenait souvent seul, et qu'il semblait ne faire cas, ni des richesses, ni des honneurs. Mais ceux qui le connaissaient bien l'appelaient Lorenzaccio, c'est-à-dire le redoutable Laurent.

Le Duc le favorisait en tout, particulièrement dans ses prétentions contre Côme. Laurent avait une aversion extrême pour celui-ci parce qu'ils étaient de caractère et de mœurs contraires et que Côme lui avait intenté un procès considérable, au sujet des biens de leurs ancêtres.

Enfin le Duc se fiait si fort à Laurent qu'il s'en servait comme de ministre de ses plaisirs. Il le pria, un jour, de lui faire voir une sœur de sa mère, femme de Léonard Ginori, jeune dame d'une beauté et d'une pudicité rares, qui demeurait assez près de la porte de derrière du palais des Médicis. Laurent, ravi d'avoir trouvé une occasion si favorable pour le tuer, lui témoigna qu'il y aurait de la difficulté à satisfaire ses désirs, mais qu'il ne tiendrait pas à lui qu'on en vînt à bout, qu'au reste on gagnait toutes les femmes, plus ou moins aisément, et que le mari de celle dont il était question se trouvait loin de Florence[16], après avoir dissipé une partie considérable de son bien. Feignant, quelques jours après, d'avoir parlé à sa tante, il dit au Prince qu'il la trouvait fort difficile, mais que, cependant, il espérait la faire consentir.

Il se ménageait depuis longtemps, pour complice de son crime, un certain Michel du Tovalaccino, surnommé Scoronconcolo, dont la tête avait été mise à prix pour meurtre, et pour lequel il avait obtenu grâce. Souvent il se plaignait à lui avec une aigreur apparente et en prenant le Ciel à témoin de son juste ressentiment, qu'un avantageux de la Cour avait pris à tâche de tourner ses actions en ridicule. « Nommez-le moi seulement, répondait aussitôt Scoronconcolo, et laissez-moi faire, il ne vous inquiétera plus. — Ah ! c'est un favori du Duc, répliquait Laurent. — Quel qu'il soit, répliquait à son tour Scoronconcolo, je le tuerai pour vous en délivrer. » Laurent ayant mené son complice dîner avec lui, comme il faisait souvent, malgré les remontrances de sa mère, lui dit après le repas : « Allons, dès que tu me le promets avec tant de résolution et que je suis sûr que tu ne me manqueras point, de même que je te tiendrai parole en tout ce que je pourrai, je suis content. Mais je veux me trouver avec toi, et afin que nous puissions nous défaire de mon ennemi avec certitude, je tâcherai de l'amener dans un endroit où nous n'ayons rien à craindre. » Laurent crut ensuite ne devoir pas différer davantage l'exécution de son crime, d'autant mieux que Vitelli, Commandant de la Citadelle et des Troupes, était absent. Il dit au Duc, à l'oreille, après le souper, qu'il avait enfin disposé sa tante sous promesse d'une somme, à consentir à ses désirs : qu'il pouvait, cette nuit-là même, venir la voir chez lui, pourvu qu'il fût seul et que personne ne le vît entrer ni sortir.

A l'heure convenable, le Duc met sur lui un pourpoint de satin, fourré de martre, puis, hésitant sur le choix de ses gants, dont les uns étaient de maille, les autres parfumés, il dit : « Prendrai-je ceux de la guerre, prendrai-je ceux de l'amour ? » Il se détermine pour les derniers, sort avec quatre hommes seulement, et quand il est sur la place Saint-Marc, où il s'était avancé pour ne point être observé, il les congédie tous, à l'exception d'un qu'il place presque vis-à-vis de la maison de Laurent, avec ordre de ne pas bouger. Mais celui-ci, après avoir resté un temps considérable, retourne au palais des Médicis, qui était celui du Duc, et s'endort.

Cependant ce Prince, arrivé dans la chambre de Laurent, ôte son épée et se jette sur le lit, dont il ferme les rideaux. C'était, à ce qu'on dit, pour éviter les compliments ordinaires dans pareilles occasions auxquelles il se connaissait peu propre, surtout vis-à-vis de la femme qu'il attendait, qui parlait avec esprit. Laurent prend l'épée du Duc, entortille le ceinturon autour de la garde afin qu'on ne puisse pas si aisément la tirer, la lui met sous le chevet, l'invite à reposer, tire à lui la porte qui fermait d'elle-même, sort et va trouver Scoronconcolo, à qui il dit : « Frère, mon ennemi dort, enfermé dans ma chambre. — Allons », répond l'autre, et ils s'acheminent.

Quand ils sont sur le palier, Laurent dit encore à Scoronconcolo : « Ne considère point si c'est un ami du Duc, songe seulement à bien manœuvrer. — Ainsi ferai-je, réplique celui-ci, fût-ce le Duc lui-même. — Tu as nommé mon ennemi, réplique Laurent à son tour, il ne peut nous échapper. — Allons, allons », repartit Scoronconcolo.

Ils entrent. Laurent ouvre les rideaux du lit, et dit au Prince : « Seigneur, dormez-vous ? » Dire ces mots et le percer de part en part ne font qu'une même chose. Le Duc, se sentant frappé, se jette à bas du lit et sort par la ruelle pour gagner la porte, en se couvrant d'une escabelle. Scoronconcolo lui porte sur le visage un coup de coutelas, par le tranchant, qui lui fend une grande partie de la joue gauche. Laurent le repousse sur le lit, l'y tient renversé en pesant sur lui de tout le corps, et afin qu'il ne puisse pas crier il étend le pouce et l'index en tenant le reste du poing fermé et lui enfourche la bouche, en disant ironiquement : « Seigneur, ne craignez point. » Le Duc lui serre le pouce entre les dents, avec tant de rage qu'il se laisse tomber sur lui et dit à Scoronconcolo de l'aider. Celui-ci tourne de tous côtés, et voyant qu'il ne peut percer le Duc sans percer aussi Laurent que le Prince tenait étroitement embrassé, il avance son coutelas par la pointe entre les jambes du second. Mais comme il ne faisait que percer le lit, il tire un couteau qu'il avait sur lui et égorge le malheureux Prince, auquel il donne plusieurs autres coups, même après l'avoir tué. Une chose remarquable, c'est que, tout le temps que dura cet assassinat, il ne poussa pas un cri ni une seule plainte.

Ses meurtriers jettent sur le lit son cadavre, qui avait glissé à terre, et ferment les rideaux. Laurent se met ensuite à la fenêtre, moins pour voir si on les avait entendus, que pour respirer. Ceux de la maison avaient ouï quelques trépignements de pieds, mais personne n'avait remué parce que Laurent, pour mieux cacher son attentat, menait depuis longtemps, dans sa chambre, quantité de gens qui, feignant de se battre, couraient çà et là en criant : frappe, tue-le; ah! traître, tu m'as ôté la vie, et autres choses semblables.

Quand Laurent se fut reposé, il fit appeler, par Scoronconcolo, un de ses domestiques auquel il montra le cadavre du Duc, et qui fut sur le point de crier. On ne conçoit pas la raison d'une pareille conduite. Ce qu'il y a de vrai, c'est que du moment qu'il eut tué son Prince jusques à celui où il le fut lui-même, il ne fit plus rien de bien ni rien qui lui réussît. Quoi qu'il en soit, peu de moments après qu'il eut consommé son attentat, il se fit donner par son maître d'hôtel quelque peu d'argent, sortit avec Scoronconcolo et le domestique que celui-ci avait appelé, et emporta la clé de sa chambre. Il obtint la permission de prendre la poste sur ce qu'il représenta que Julien son cadet était à toute extrémité, à sa maison de campagne, tira droit à Bologne, où il fit panser son pouce, échappa à ceux qui s'étaient mis à sa poursuite et arriva le deuxième jour, dans la nuit, à Venise. Il eut bien de la peine à persuader à Philippe Strozzi que sous la clé qu'il lui montrait le Duc se trouvait égorgé. Enfin, Philippe ajoutant foi à son récit, l'embrasse, le nomme Brutus de Florence, lui promet d'engager ses fils Pierre et Robert à épouser ses deux sœurs; et lui dit de s'en aller à la Mirandole, afin d'être plus en sûreté. C'était, selon quelques-uns, pour s'en débarrasser. Cependant Philippe cessa d'aller armé, croyant désormais n'avoir plus rien à craindre. Il écrivit tout, avec la participation de l'Ambassadeur de France, aux Cardinaux Salviati et Ridolfi, et prit la route de Bologne.

Laurent avait assassiné le Duc par méchanceté de caractère, par le désir de délivrer sa Patrie, par celui de laver la honte des deux proclamations données par le Parlement contre lui, par l'envie de s'immortaliser qui fut toujours sa passion et par celle de se montrer digne héritier de ces Médicis, si amis du Peuple, qu'ils avaient substitué à leurs armes celles de la République et à leur nom celui de Popolani. Si Laurent n'avait pas eu ces motifs, on pourrait dire que jamais conjuration n'aurait été mieux imaginée, ni plus lâchement abandonnée et que, de gaieté de cœur, il aurait exposé ses jours et sacrifié la Souveraineté, qui lui revenait de droit, après le Duc, mort sans enfants.

On sait de lui-même qu'il eut la pensée de tuer le Duc au milieu de la ville, avec le propre poignard de ce Prince lorsqu'il était en croupe derrière lui (et il y allait presque toutes les fois que le Duc montait à cheval) ; mais la garde qui suivait toujours le fit douter du succès. Peut-être aussi désespérait-il de se sauver et de survivre à sa gloire. Une nuit, il fut tenté de le faire sauter du haut d'un mur, mais il craignit qu'il n'en échappât ou qu'on ne crût qu'il était tombé de lui-même.

On avait prédit plusieurs fois au Duc par les songes et par l'Astrologie qu'il serait égorgé. Des auteurs de ces prédictions, les uns nommaient l'assassin, les autres le désignaient si bien qu'on ne pouvait s'y méprendre. Lucrèce Salviati, la plus respectable dame d'alors, écrivit de Rome au Duc de se garder d'un certain homme qu'elle lui dépeignait : c'était Laurent. Sur la demande que le Prince fit à Marie, fille de Lucrèce, des raisons de sa haine si grande contre celui-ci : « C'est, répondit-elle, parce que je sais qu'il a intention de vous tuer et qu'il le fera. » Côme, son fils[17], qui était derrière elle, fit signe au Duc de l'exécuter, comme trop zélée.

Voici deux traits, dont l'un marque la défiance du Duc pour Laurent, et l'autre son mépris. Ce prince et un de ses amis, l'ayant fait couler tout d'un coup, le long d'un mur, au moyen d'une corde : « Seigneur, laissez-la-moi couper, dit le second au premier et défaisons-nous-en. — Non, répondit le Duc, je ne le veux point : ce n'est pas que je ne croie qu'il s'en servirait volontiers contre moi. »

Lorsque le Duc fut revenu de Naples, le Secrétaire du Tribunal des Huit[18] lui dit un jour : « Si Votre Excellence veut permettre que j'examine le Philosophe, j'espère découvrir le voleur de sa cotte de mailles. » A quoi le Duc répondit : « Voudrais-tu pas lui donner la question ? Va-t'en et laisse-le. »

Toutes ces choses firent regarder la mort du Duc comme fatale. Des superstitieux observèrent dans sa destinée six fois le nombre six, savoir qu'il avait été assassiné l'année 1536, à

l'âge de vingt-six ans, le 6 du mois, à la sixième heure de la nuit, le sixième jour de la semaine, après un règne de six ans. Cependant, le matin du jour qui suivit la nuit de l'assassinat, le Duc ne paraissant point, deux de ceux qui l'avaient accompagné le soir jusque sur la Place commencèrent à craindre et firent part de ce qu'ils savaient au Cardinal Cibo. Celui-ci se troubla fort, se douta de ce que c'était et le regarda comme certain lorsqu'il sut la permission donnée à Laurent durant la nuit pour prendre la poste. Tout pâle et tremblant, il envoie chercher un des favoris les plus intimes du Duc et, après quelque délibération, ils n'osent faire ouvrir la chambre du meurtrier, pour s'assurer du fait par leurs propres yeux, dans la crainte qu'il ne s'élève quelque tumulte. Leur appréhension n'était que trop fondée. Le Peuple les avait en horreur et il pouvait les chasser à coups de pierres.
Cependant on songe à s'assurer des forces de l'Etat. Le Cardinal Cibo écrit à Pise, et donne en même temps ordre à son frère de s'y transporter sans délai avec le plus de troupes qu'il pourra. On mande à Jacques de Médicis, commissaire des Bandes, qui se trouvait à Arezzo, de se tenir attentif et de faire bonne garde. On marque, au nom du Duc, au Capitaine de la Bande de Mugello, la plus affectionnée de toutes, de l'amener promptement à Florence. On envoie, avec la plus grande diligence, un courrier à Alexandre Vitelli par lequel on lui fait savoir qu'il ait à revenir sur-le-champ, pour affaire de la dernière conséquence. On ne néglige en un mot rien de ce que la prudence exige qu'on fasse.
Afin d'occuper les esprits, on fait tous les préparatifs nécessaires comme pour courir la bague et pour un jour de mascarade. On répond, avec un air de sérénité, aux citoyens qui se présentaient comme de coutume, pour faire leur cour au Prince, qu'il a joué toute la nuit et qu'il repose.
Cependant le maître d'hôtel de Laurent, que celui-ci avait chargé en partant d'instruire plusieurs citoyens zélés pour la liberté, de l'assassinat du Duc, avait exécuté sa commission en partie. Mais aucun n'avait voulu le croire ou découvrir ses sentiments ou l'annoncer à d'autres de peur que ce ne fût une ruse du Duc pour les sonder ou une malice de Laurent pour les perdre. François Guichardin, Robert Acciaiuoli, Mathieu Strozzi et François Veltori, auxquels on demanda ce qu'il conviendrait de faire au cas que le Duc ne se trouvât point, répondirent : « Qu'on le cherche d'abord et on avisera ensuite. »
Enfin, le soir, on fit ouvrir secrètement la chambre du meurtrier et on porta en cachette le cadavre enveloppé d'un tapis à l'église Saint-Jean et de là dans l'ancienne sacristie de Saint-Laurent. Jusqu'alors on s'était flatté que le Duc aurait

bien pu s'être enfermé dans quelque monastère, ce qui lui arrivait quelquefois. Mais le crime étant alors avéré de toute manière, ceux qui gouvernaient s'assemblent dans un appartement retiré du Cardinal Cibo, et comme ils craignaient à tout moment que le Peuple ne se soulevât et ne les massacrât, ils se déterminent à convoquer, le lendemain matin, le Conseil des Quarante-Huit. On dépêche cependant, de nouveau, pour presser la venue d'Alexandre Vitelli. [Il] arrive, tout déconcerté, peu d'heures après, avec environ cent soldats, en assez mauvais équipage. Mais trouvant contre son attente toutes choses tranquilles et voyant que les citoyens venaient lui recommander la ville, il prend courage et commence à négocier avec la Cour et les amis des Médicis.
La nouvelle de l'assassinat du Duc par Laurent se répandait déjà dans tout Florence; chacun s'en réjouissait, mais personne n'osait remuer, faute d'armes ou de peur que ce ne fût un piège, ou plutôt parce qu'on manquait de Chef, par l'exil de ce qu'il y avait de plus sage et de plus brave parmi les Citoyens. Il se formait, à la vérité, de petits cercles dans la Place où chacun disait librement son avis. On y parlait de rétablir le Grand Conseil, de créer un Gonfalonier à vie ou pour un temps; du choix que l'on pouvait faire pour cette dignité, des citoyens qu'on devait récompenser ou punir. Il se tenait aussi, dans les maisons, des assemblées secrètes où divers avis étaient proposés selon la diversité du caractère de ceux qui s'y trouvaient.

3.3. LA SUCCESSION DU DUC

a) **À Florence.**

◆ Le Conseil.

Chacun était dans l'incertitude de ce que les Quarante-Huit résoudraient. Ces magistrats ne s'accordaient qu'en une chose : c'était de ne pas vouloir de Grand Conseil. Ils n'auraient rien déterminé, sans la peur extrême qu'ils avaient du Peuple au-dedans et des exilés au-dehors, tant ils étaient excédés du Gouvernement du Duc. L'un d'eux proposa d'élire, à sa place, Jules son fils naturel. Tous les autres en rirent ou témoignèrent de l'indignation. Cet enfant avait à peine cinq ans, et celui qui l'avait proposé l'avait fait à la persuasion du Cardinal Cibo, qui eût voulu cette élection dans l'espérance d'être le tuteur du jeune Prince et de gouverner longtemps. On proposa ensuite d'élire Côme de Médicis[19], qui se trouvait alors à sa maison de campagne du Trebbio, à quinze milles de Florence, ignorant ce qui s'était passé. Aussitôt tous ceux qui composaient l'assemblée se regardent l'un l'autre et semblent disposés à l'accepter, d'autant mieux que, par la déclaration de l'Empereur, la Souveraineté revenait de droit à ce Prince, le plus proche après Laurent. Mais Palla Ruccellai, qui voulait sans doute faire plaisir à Philippe Strozzi, auquel il avait des obligations, s'opposa vivement.

◆ Le discours du Cardinal.

Vos Seigneuries savent, nobles et sages Sénateurs, à quel risque vous vous exposeriez avec toute cette ville en contrevenant au décret de l'Empereur. La multiplicité des affaires et le manque de forces m'empêchent de continuer d'exercer le pouvoir qu'elles m'ont généreusement confié. Je les prie et leur enjoins même, si je le puis, de se conformer aux intentions clairement énoncées dans la Bulle de Clément VII et le décret de Charles Quint. Je les exhorte à élire, que dis-je, à confirmer successeur du Duc Alexandre, Côme, à qui la souveraineté appartient, au défaut de Laurent, que sa trahison en a justement privé. Par une grâce spéciale du Ciel, ce Prince est tel à tous égards, que quand même vous ne seriez pas forcés de l'élire vous devriez le faire pour le salut de cette ville infortunée qui, sans cela, serait bientôt saccagée, peut-être même réduite en cendres.

Quand le Cardinal eut achevé de parler, on alla aux opinions. Les principaux, toujours occupés du dessein d'établir l'Aristocratie, n'acceptaient ni ne refusaient tout à fait Côme et faisaient seulement des difficultés. Alors Palla Ruccellai, ferme dans sa résolution de la veille, dit hardiment : « Mon avis est qu'il n'y ait plus dans la République ni Duc, ni Prince, ni Seigneur. »

b) Les hésitations des bannis.

◆ Cependant la nouvelle de la mort d'Alexandre se répandit dans toute l'Italie avec une promptitude extrême et donna lieu à mille discours divers. La plupart des gens, surtout les exilés, exaltaient Laurent, son assassin, au-dessus de Brutus. Plusieurs écrivains firent des vers à sa louange, dans lesquels son successeur était maltraité, et l'un de ceux qui se signalèrent le plus fut l'auteur de cette histoire.

Les exilés espéraient, après tant de maux, être rendus à leur patrie et lui voir recouvrer la liberté. Les Cardinaux Salviati et Ridolfi, secrètement excités par le Pape et par quelques-uns des principaux de ces exilés qui se trouvaient à Rome, levèrent quinze cents fantassins et quelques chevaux au moyen de l'argent que leur fournit l'Evêque de Mâcon, Ambassadeur de France. Ils en donnèrent le commandement à Jean-Paul de Ceri, sur le refus que fit Etienne Colonne de l'accepter, et ils les envoyèrent avec Robert Strozzi, fils de Philippe, vers Montepulciano. Ils écrivirent en même temps au père de

rassembler le plus de monde qu'il pourrait; puis, avec quantité d'exilés et autres, ils marchèrent en diligence vers Florence [...].
◆ S'ils [les Florentins] veulent que le Gouvernement passé subsiste, nous ne pouvons pas, je crois, beaucoup espérer de les réduire, parce qu'ils sont dans Florence et que nous sommes dehors, qu'ils font la guerre des revenus publics, et que nous la faisons de l'argent de quelques particuliers, que les secours de l'Empereur sont proches pour eux et ceux du Roi de France éloignés pour nous. Je crains donc que ce poignard de notre Brutus ne nous soit pas plus utile que ne le fut aux Romains celui du leur. Tout est au pouvoir d'Alexandre Vitelli, qui tient pour Côme, et l'Empereur peut établir ses affaires, au moyen du mariage de ce Prince avec la veuve du feu Duc. S'il était vrai, comme l'assure notre Brutus, que peu avant qu'il tuât le Duc ce Prince lui avait déclaré qu'il ne restait plus dans le Trésor que dix mille écus, ils ne pourraient maintenir longtemps les garnisons des places nécessaires. Mais s'il reste plus d'argent, ou que Vitelli, qui a la citadelle et les joyaux du feu Duc, veuille en fournir, j'en augure autrement.

M. Galeotto écrit de Ferrare qu'il croit obtenir quelque chose du Souverain de cet Etat. J'apprends de Venise que le Duc d'Urbin, sollicité par les Impériaux de favoriser le Gouvernement présent, avait répondu qu'il ne voyait pas moyen d'empêcher Florence de recouvrer sa liberté.

Tous s'offrent à moi, à l'exception des Comtes S. Secondo et Claude Rangon. Si l'on pouvait avoir de l'argent, on mettrait bientôt sur pied une grosse armée.

Notre Brutus est d'avis que nous envoyions vers le Prince Doria et le Marquis du Guast, pour leur témoigner que nous ne cherchons qu'à nous procurer une juste liberté et que nous sommes d'ailleurs fermement résolus de ne jamais nous détacher de l'amitié de l'Empereur.

Selon les lettres du 29 du mois dernier, on attendait le Prieur de Capoue, mon fils, à Lyon. Il revient, à ce qu'on m'écrit, pour être avec moi; je n'apprends rien de plus particulier sur cet article. J'ai su depuis, par M. Galeotto, la résolution de Vos Eminences. J'ai cherché à établir un chef des Troupes qu'on doit lever ici, et à marquer un lieu pour les rassembler. La bonne disposition du Comte Jérôme de Peppoli pour la cause commune et son dévouement pour Vos Eminences me l'ont fait choisir pour les commander. Le 25 du mois, elles seront à Castiglione de Peppoli, lieu voisin des frontières de la Toscane, pour descendre de là dans le Muzello ou ailleurs, selon que Vos Eminences le jugeront à propos. Je serais bien aise d'avoir leurs ordres avant ce temps-là parce que le manque de vivres nous chassera de ce pays et que le temps et l'argent nous sont précieux. Si je ne reçois pas d'avis de Vos Eminences, je me conformerai à celui du Comte de Peppoli, dépourvu comme je suis des choses de la guerre. Notre Brutus et Aldobrandin seront avec nous.

Tandis que j'écris cette lettre, je reçois celle que Vos Eminences m'écrivent de Monte-Rosi, en date du 15. Conformément à ce qu'elle renferme, je leur envoie le présent courrier, pour leur apprendre où je me trouve, et l'état de mes forces dont elles disposeront à leur gré, car je ne suis que leur instrument. Je les prie seulement de considérer que toute la dépense se fait de mes deniers et d'avoir soin par conséquent qu'il ne se perde pas de temps. Du reste, j'ai plus de confiance aux remèdes doux qu'aux remèdes violents. Alexandre Vitelli étant, selon toute apparence, le mobile principal du parti opposé, il faudrait faire tout son possible pour le gagner. Laurent Salviati vient de me montrer une lettre par laquelle sa sœur l'exhorte à aller à Florence. Je l'y ai déterminé dans la persuasion où je suis que Vos Eminences veulent le bien de Florence, de Côme et de Vitelli et que tous ensemble nous pourrons venir à bout de quelque chose.

Je n'ai donné de l'argent qu'aujourd'hui, parce que je n'avais point encore choisi de chef ni de rendez-vous et que le Comte de Peppoli, qui était absent, ne m'a donné sa parole qu'hier. Le Capitaine Nicolas Bracciolini est arrivé et on lui a donné quatre cents fantassins.

Le Gouvernement de ce pays fait difficulté de laisser sortir des troupes du Bolonais et de la Romagne, ce qui nous arrête tout court.

C'est ainsi que le meurtre commis par Lorenzo resta politiquement inutile.

4. UNE SCÈNE SUPPRIMÉE : ACTE V, SCÈNE VI

On tentera de justifier cette suppression qui date de l'édition de 1856.

SCÈNE VI. Florence. Une rue.

Entrent des ÉTUDIANTS et des SOLDATS.

UN ÉTUDIANT. — Puisque les grands seigneurs n'ont que des langues, ayons des bras. Holà, les boules ! les boules ! Citoyens de Florence, ne laissons pas élire un duc sans voter.

UN SOLDAT. — Vous n'aurez pas les boules ; retirez-vous.

L'ÉTUDIANT. — Citoyens, venez ici ; on méconnaît vos droits, on insulte le peuple. (*Un grand tumulte.*)

LES SOLDATS. — Gare ! Retirez-vous.

UN AUTRE ÉTUDIANT. — Nous voulons mourir pour nos droits.

UN SOLDAT. — Meurs donc. (*Il le frappe.*)

L'ÉTUDIANT. — Venge-moi, Ruberto, et console ma mère. (*Il meurt.*) [*Les étudiants attaquent les soldats; ils sortent en se battant.*]

NOTES

1. Tous les personnages de George Sand se retrouvent dans *Lorenzaccio* sauf cinq : Malatesta Baglione, le cavalier de Marsilj et le capitaine Cesena, tous trois personnages réels, mentionnés par Varchi; Fernando l'Andalou, probablement inventé par George Sand, et enfin Vitelli, le gouverneur de la forteresse, personnage qui ne prononce que quelques mots dans la scène première et que l'auteur a omis dans la liste des personnages. C'est ce même Vitelli à qui Musset fait une courte allusion, acte V, scène première (voir page 131, note 1); **2.** Même si, comme le voulait une certaine tradition, Lorenzo était le fils naturel de Clément VII, ce pape, mort en 1534, n'aurait pu protéger son fils en 1537. Voir la même erreur commise par Musset, IV, IV, page 113, note 1; **3.** *Hippolyte de Médicis :* voir page 32, note 2; **4.** Le pape *Jules II* (1443-1513), dont on connaît le goût pour le faste et les œuvres d'art; **5.** *Caporions* (et non *Caparions* comme l'écrit George Sand) : fonctionnaires de la Rome pontificale, responsables de la sécurité dans un quartier de Rome; **6.** *Virginia.* Tite-Live raconte (III, 44 et suivantes) comment le décemvir Appius Claudius se fit attribuer comme esclave par des magistrats à sa solde la jeune Virginia, fille du centurion Virginius. Celui-ci, pour éviter le déshonneur à sa fille, la poignarda; **7.** George Sand fait de Catherine la sœur cadette de Lorenzo, alors qu'elle était la sœur de sa mère; en réalité, d'après la chronique de Varchi, c'est bien une sœur de Lorenzo, mais une sœur aînée, veuve d'Alamanno Salviati, qui servit à attirer Alexandre dans un guet-apens. Musset a rétabli une partie de la vérité en faisant de Catherine la jeune sœur de Maria, mais il lui laisse le rôle imaginé par George Sand; **8.** *Messere :* messire. Titre très vague qui semble ici dit sur un ton ironique. Trois répliques plus loin, Capponi s'en servira pour s'adresser à Lorenzo; **9.** *Cosme l'Ancien* (1389-1464) avait été le véritable fondateur de la puissance des Médicis, acquérant l'autorité morale et politique qui devait faire la fortune de ses descendants; **10.** *Popolani :* les gens du peuple. Les Médicis s'étaient appuyés sur la petite bourgeoisie et les artisans; **11.** *Gonfalonier :* voir page 139, note 1. En 1529, cette charge fut non pas supprimée, quand Capponi en fut dépouillé, mais transformée; **12.** *Charles V :* il s'agit évidemment de Charles Quint, dont Alexandre avait épousé la fille; **13.** *Varchi :* l'auteur même de la chronique dont George Sand s'est inspirée et qu'elle s'amuse ainsi à mettre en scène indirectement; **14.** Toutes choses que Laurent avait déclarées à celui-ci; **15.** C'est-à-dire, le mesquin Laurent; **16.** A Naples; **17.** Successeur d'Alexandre; **18.** Maurice; **19.** Cofimino, dont il a été parlé plusieurs fois.

JUGEMENTS SUR « LORENZACCIO »

PREMIÈRE PÉRIODE : 1844-1910 environ.

Le prestige de Musset poète lyrique empêche la critique de négliger son théâtre, et même Lorenzaccio, *qui passe pour moins réussi que les comédies. Mais on admire avec réticence, ou pour des raisons qui ne concernent pas la valeur dramatique de la pièce :*

Dans les tentatives plus fortes qu'il a faites, comme *André del Sarto* ou *Lorenzaccio*, M. de Musset a moins réussi que dans ses courtes et spirituelles esquisses [...], mais, jusque dans ses ouvrages de moindre réussite, on pouvait admirer la sève, bien des jets d'une superbe vigueur, de riches promesses.

Sainte-Beuve,
Portraits littéraires (t. II) [1844].

Navrante histoire d'une âme toute de désirs, morte d'avoir pris pour vertu le songe de son orgueil et de s'être aimée uniquement elle-même, quand elle croyait aimer le devoir théâtral et fastueux que son caprice avait inventé [...]. Je ne pense pas exagérer en disant que le personnage de Lorenzaccio est aussi riche de signification qu'un Faust ou qu'un Hamlet, et que, comme eux, il figure dans une fable particulière l'homme, l'éternel inquiet et l'éternel déçu, sous un de ses plus larges aspects. Et ce personnage est une créature vivante, il est de chair, de sang, de nerfs et de bile.

Jules Lemaitre,
Impressions de théâtre (t. X) [1898].

L'intérêt s'éparpille bien encore un peu, des disparates et des longueurs se montrent çà et là et, fût-il matériellement jouable, le drame lasserait l'attention d'un spectateur. Prenons-le pour ce qu'il est, c'est-à-dire pour une étude destinée à la lecture, songeons que l'auteur n'a que vingt-trois ans, qu'il n'a guère eu le temps de s'exercer au théâtre, qu'il écrit la pièce en quelques mois, et nous admirerons sans réserve un génie capable d'une telle force d'analyse et d'une pareille puissance d'évocation. *Lorenzaccio* est, sans contredit, le plus étonnant de nos drames historiques.

Léon Lafoscade,
le Théâtre d'Alfred de Musset (1901).

[Musset] use des temps et des lieux selon sa fantaisie, pour assortir la forme de son action à la qualité de son rêve triste ou joyeux. Et ce sont aussi des pages de rêve qu'il nous montre, c'est son rêve d'une Allemagne, d'une Italie, d'un XVIIIe siècle, d'une Renaissance, qu'il imagine tour à tour comme le milieu le plus en harmonie avec la disposition actuelle ou la crise récente de sa sensibilité. Il se compose ainsi une atmosphère idéale, où l'être qu'il est aujourd'hui lui semble plus complet, plus à sa place.

Gustave Lanson,
Histoire de la littérature française (1906).

DEUXIÈME PÉRIODE : 1914-1950.

C'est une période de recherches pour les metteurs en scène. Lorenzaccio va être de plus en plus joué. Avant et après ces représentations, universitaires, critiques et hommes de théâtre soulèvent, à propos de la pièce, certains problèmes de technique dramatique.

Rien ne ressemble moins à une « opération » que la comédie de Musset [...]. L'auteur ne cherche ni à nous surprendre, ni à nous convaincre, ni à nous contraindre. Il nous dépayse et nous entraîne. Nous nous passons fort bien de conflits et de problèmes, de démonstrations et de dénouements, là où notre esprit reste captif de la progression du sentiment, et s'amuse de la diversité, du mouvement, des oppositions, des contrastes et des symétries. Au bout d'un acte, peut-être deux, trois au plus, nous avons parcouru toutes sortes de chemins, comme toutes sortes de lieux, de spectacles, d'événements et de rencontres. Et il n'y a pas eu de rupture, grâce à la continuité du rythme. Le plaisir musical s'ajoute à la satisfaction de l'esprit[1].

Jacques Copeau,
le Théâtre d'Alfred de Musset, Revue universelle
(1er octobre 1931).

La fantaisie du dessin, la place faite à l'analyse psychologique, enfin le côté lyrique de l'inspiration apparente le drame de 1834 à ceux du *Spectacle*. Pourtant il appartient à une autre famille théâtrale. Par ses proportions d'abord [...], ensuite par l'esprit qui l'anime; n'est-il pas le seul qui observe un respect scrupuleux de la vérité passée? [...] Pièce historique à tendances démocratiques, pièce grave et philosophique à la fois, c'est bien là ce que Victor Hugo appelle le drame romantique, avec la rime en moins et le souci psychologique en plus.

Pierre Gastinel,
le Romantisme d'Alfred de Musset (1933).

---

1. Malgré l'apparence (comédie — trois actes ou plus), ce jugement, comme le montre le contexte, s'applique également à *Lorenzaccio*.

Musset a créé dans *On ne badine pas avec l'amour* et dans cet « On ne badine pas avec les masques » qu'est *Lorenzaccio* [...] une prose de drame romantique, qui d'ailleurs ne survivra pas aux années trente, une prose qui prend tous les tours, tantôt dense, fulgurante et vive comme une lame, tantôt sèche, résonante, indéfinie comme des bois de musique. Qu'elle ait si peu duré, qu'elle ne se soit pas maintenue contre la souveraineté du vers, cela est remarquable [...]. Et *Lorenzaccio* n'aura pas de suite dans l'œuvre de Musset.

Albert Thibaudet,
Histoire de la littérature française de 1789 à nos jours (1936).

Proprement dramatique aussi, l'art de Musset d'éclairer l'âme des personnages par le reflet de l'action, lueur mouvante et incertaine qui change à tout instant l'expression du visage qu'elle éclaire; tandis que le personnage classique reçoit d'un bout à l'autre de la pièce une lumière égale et blanche comme un jour d'atelier; tandis que le héros du drame romantique s'arrête d'agir et prend la pose sous les projecteurs qui exagèrent son expression, c'est le mouvement même de l'action qui fait varier l'éclairage d'un caractère comme celui de Lorenzo et nous laisse dans l'incertitude sur sa véritable personnalité.

Philippe Van Tieghem,
Alfred de Musset (1944).

Musset est devenu adversaire de la couleur locale [...]. Aussi, comme il francise le nom, italien chez George Sand, de Catharina! Comme il souhaite de ne pas nous dépayser, non seulement avec la « fille de la concierge » mais avec le « verre de limonade » du sobre prieur, le « boudoir de la marquise » (comme dans une nouvelle de Th. Gautier!), le « chocolat » de Lorenzo [...]. Aussi bien et mieux qu'à Florence au XVI siècle, la scène est à Paris en 1833.

Jean Pommier,
Variétés sur Alfred de Musset et son théâtre (1947).

TROISIÈME PÉRIODE : depuis 1950.

Lorenzaccio, *plusieurs fois monté par des troupes illustres, est maintenant un chef-d'œuvre consacré, mais déjà s'élève une voix discordante.*

Dans *Lorenzaccio*, les autres personnages principaux déploient devant nous, spectateurs, les aspects du héros principal, et ses contradictions : Philippe Strozzi correspond à son humanisme, le duc à la souillure qui l'habite et au mal qui le hante, Catherine à son idée de la pureté et de l'amour, la marquise Cibo à son amour de la patrie, Pierre Strozzi à son courage.

L'ensemble forme une constellation mouvante, à l'intérieur de laquelle les dialogues s'engagent naturellement, inépuisablement, mettant en pleine lumière, et sous tous les éclairages possibles, le « héros », qui, de plus, garde en lui son secret et le dévoile peu à peu : son but, son acte, son idée de la liberté.

Henri Lefebvre,
Alfred de Musset (1955).

[...] son œuvre la plus géniale, celle qui le justifie et qui permet de continuer à le considérer comme un grand poète, malgré les faiblesses et les « inégalités » de ses pièces, *Lorenzaccio*, le drame qui, sans contredit, est l'œuvre théâtrale la plus puissante de toute la littérature française du XIXe siècle.

Philippe Soupault,
Introduction à une anthologie de Musset (1957).

Lorenzaccio [...] réalise, comme nulle autre pièce romantique, cette fusion profonde du bouffon et du tragique si recherchée au nom de Shakespeare, et cette saisissante vérité humaine qui trouve plus d'accent à sembler négligée qu'à être mise avec effort en évidence.

Léon Moussinac,
le Théâtre des origines à nos jours (1958).

S'il m'arrive encore de rompre des lances pour Musset, ce n'est pas seulement pour son théâtre, qui a le tort de ne pas nous laisser oublier Shakespeare, et dont je ne suis pas fou (n'empêche que ma prime jeunesse se gargarisait, à la lettre, avec ce « respire, cœur navré de joie! » de *Lorenzaccio*), mais le monument des *Nuits* me désarme encore.

François Mauriac,
Mémoires intérieurs (1959).

SUJETS DE DEVOIRS ET D'EXPOSÉS

NARRATIONS

● Musset rencontre « un pâle enfant vêtu de noir qui lui ressemblait comme un frère ». C'est Lorenzaccio. La conversation s'engage, et les deux interlocuteurs ne tardent pas à s'apercevoir que leurs analogies superficielles cachent de profondes différences.

● Vous imaginerez une nouvelle « lettre de Dupuis et Cotonet » au directeur de la *Revue des Deux Mondes.* Ils viennent de lire *Lorenzaccio*, qui a mis une fois de plus par terre leur définition du romantisme.

● Un dialogue aux Enfers entre Côme de Médicis et Louis-Philippe sur l'art de parvenir au pouvoir. Vous pourrez faire intervenir dans la conversation d'autres personnages historiques de votre choix.

DISSERTATIONS

● Quelle idée vous faites-vous d'après *Lorenzaccio* de ce que les romantiques entendaient par couleur locale?

● Vous montrerez, d'après *Lorenzaccio*, comment les romantiques conciliaient deux tendances en apparence contradictoires : le lyrisme personnel et le pittoresque extérieur.

● *Lorenzaccio* n'a pas été écrit pour le théâtre. Obéit-il malgré tout aux règles de l'art dramatique?

● Théophile Gautier parle du « comique terrible et douloureux » qui se dégage de *Lorenzaccio.* Vous essaierez de le démêler.

● La multiplicité des personnages secondaires (anonymes ou non) nuit-elle à la pièce ou la sert-elle?

● Dans un article de la *Revue des Deux Mondes* (1er novembre 1838), Musset, après avoir rejeté les oppositions simplistes entre la tragédie classique et le drame romantique, propose une distinction fondée sur l'utilisation des passions au théâtre; il refuse la formule racinienne : « Si la passion n'est plus aux prises qu'avec elle-même, qu'arrive-t-il? Une fable languissante, un intérêt faible, de longs discours, des détails fins, de curieuses recherches sur le cœur humain, des héros comme Pyrrhus, comme Titus, comme Xipharès, de beaux parleurs, en un mot, et de belles discoureuses qui content leurs peines au parterre; voilà ce qu'avec un génie admirable, un style divin et un art infini, Racine introduit sur la scène. » Mais Musset se réclame de Corneille pour demander que la passion soit l' « axe des tragédies modernes » : « Elle naît d'elle-même, et tout vient d'elle : une passion et un obstacle, voilà le résumé de presque toutes nos pièces. »

S'est-il inspiré de cette formule dans *Lorenzaccio?*

● Quelle est la méthode la plus sûre pour connaître les personnages de *Lorenzaccio?* Se fier à ce qu'ils font, à ce que disent d'eux les autres ou à ce qu'ils en disent eux-mêmes?

● Existe-t-il quelque analogie entre le découpage en tableaux de *Lorenzaccio* et les découpages cinématographiques par « séquences »?

● Il est d'usage à la scène de sauter ou d'écourter presque toutes les scènes qui concernent la famille Strozzi. Estimez-vous que ces coupures allègent la pièce ou l'appauvrissent?

● Lorenzaccio et Hamlet : ressemblances et différences entre les deux héros de la vengeance.

TABLE DES MATIÈRES

IMPRIMERIE HÉRISSEY. — 27000 - ÉVREUX.
Dépôt légal Mars 1971. — N° 36333. — N° de série Editeur 12553.
IMPRIMÉ EN FRANCE *(Printed in France)*. — 870 122 D-Février 1985.